ドレスアップ！こくるん

2

原作・監督 久野遥子

文 竹浪春花

絵 あこそれ

勇気《ゆうき》が出《で》る魔法《まほう》をください

もくじ

コン
コン

登《とう》場《じょう》人《じん》物《ぶつ》とアイテム紹《しょう》介《かい》

あむあむ

こくるんの使《つか》い魔《ま》。
ネコのようなコウモリ。

こくるん

クローゼットの魔女《まじょ》。
みんなの告白代行《こくはくだいこう》がお仕事《しごと》。

コンパクト

魔女《まじょ》のたしなみ道具《どうぐ》。
通話《つうわ》もできて便利《べんり》。

相手がうつる鏡
おしゃれ鏡

ステッキ

好《す》きな道具《どうぐ》を魔女《まじょ》の
ステッキにできる。
魔法《まほう》はちょっと苦手《にがて》。

こくるんは
ハンガーを
ステッキに！

この部分に
投げキッスをして、
息をふきかけると、
香水が
調合される

パフューマー

魔女《まじょ》がニンゲン界《かい》に紛《まぎ》れる
ための氷《こおり》の香水瓶《こうすいびん》。こくるんは
お客《きゃく》さまに変身《へんしん》するために使う。

プロローグ

明日《あした》はなにを着《き》ていこう？
買《か》ったばかりのワンピース？　定番《ていばん》のパンツスタイル？
いつもの普段着《ふだんぎ》？
あの人《ひと》は、どんな服《ふく》が好《この》みだろう？
どんな私《わたし》が好《す》きだろう？　どんな自分《じぶん》になればいい？
おねがい。
クローゼットの魔女《まじょ》さま、クローゼットの魔女《まじょ》さま、
どうか私《わたし》のもとに――

第《だい》4着《ちゃく》

勇気《ゆうき》が出《で》る
魔法《まほう》をください

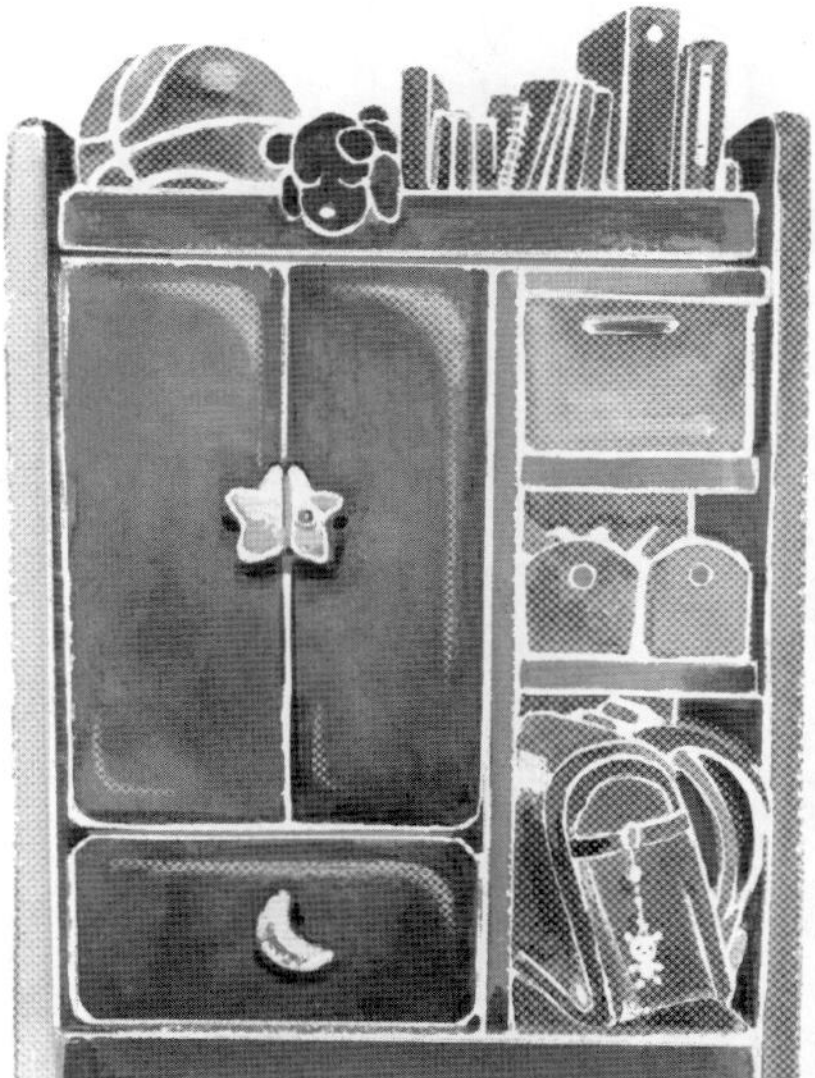

「おねーちゃん！　クローゼットのまじょって、しってる？」

小春《こはる》は、夕飯《ゆうはん》のカレーを口《くち》いっぱいに食《た》べながら、風花《ふうか》に一生懸命《いっしょうけんめい》に話《はな》す。けれど風花《ふうか》は、調子《ちょうし》が悪《わる》いのか「うるさいなぁ」とティッシュで鼻《はな》をかむだけで、小春《こはる》を相手《あいて》にしない。お母《かあ》さんもお父《とう》さんも「小春《こはる》、飲《の》みこんでから話《はな》しなさい」と、あきれている。

それでも、小春《こはる》はおかまいなし。

「きょうね、がっこうでね、4ねんせいの人《ひと》が、はなしてたんだけど。クローゼットのとびらを4回《かい》ノックすると、やってくるんだって！　まじょが！」

そうして小春《こはる》は、テーブルを、「コン、ココココン」と、ノックしてみせた。

「こうやってノックするの。こうしないと、まじょは来《こ》ないの。それでね、そのまじょが、めっちゃカワイイ自分《じぶん》に、へんしんして、かわりに告白《こくはく》してくれるんだって！　おねーちゃんにピッタリじゃない？　ね」

しかし風花《ふうか》は、それを鼻《はな》で笑《わら》った。

「魔女《まじょ》なんかいないよ」

「いるもん！　おねーちゃんも、ハヤトに告白《こくはく》してもらったらいいのに」

「は、私《わたし》は中島《なかじま》なんかっ」

「だって、おねーちゃんはハヤトとケッコンするんでしょ？　なのに、なんで、おねーちゃんはハヤトとあそばなくなっちゃったの？」

風花《ふうか》は、ため息《いき》だ。

「ねぇ小春《こはる》、私《わたし》はもう、子《こ》どもじゃないの。魔法《まほう》なんてないの」

そして風花《ふうか》は、カレーを半分《はんぶん》も残《のこ》して自分《じぶん》の部屋《へや》に去《さ》ってしまった。

「おねーちゃん！」

小春《こはる》は、さっぱりわからない。

だって、おねーちゃんだって、前《まえ》は魔《ま》法《ほう》を信《しん》じてた。妖精《ようせい》だって、オバケだって、信《しん》じてた。なのに、どうして、魔法《まほう》なんてないって言《い》うんだろう？

なんで、ハヤトのことを『中島《なかじま》』だなんて、呼《よ》ぶんだろう？

ふたりは、あんなに仲良《なかよ》しだったのに――。

「はやく告白《こくはく》しないと、とられちゃうよ！　ハヤトはイケメンなんだから！」

颯人《はやと》は風花《ふうか》の幼《おさな》なじみで、ななめ向《む》かいの家《いえ》に住《す》んでいる男《おとこ》の子《こ》だ。

風花《ふうか》と颯人《はやと》は結婚《けっこん》の約束《やくそく》をするほど仲良《なかよ》しで、よく小春《こはる》と颯人《はやと》と風花《ふうか》の3人《にん》はバスケをして遊《あそ》んでいた。けれど、ふたりが中学《ちゅうがく》2年生《ねんせい》になった今《いま》ではもう、颯人《はやと》は風花《ふうか》の家《いえ》には来《こ》ないし、風花《ふうか》だって颯人《はやと》といっしょにバスケをしない。

小学《しょうがく》2年生《ねんせい》の小春《こはる》は、ふたりのマネをしてミニバスのチームに入《はい》ったけど、楽《たの》しくない。小春《こはる》は、風花《ふうか》と颯人《はやと》の3人《にん》でやるから楽《たの》しかったのだ。

そして次《つぎ》の日《ひ》、熱《ねっ》を出《だ》してしまった風花《ふうか》は学校《がっこう》を休《やす》むことに。

それを知《し》った小春《こはる》は、自分《じぶん》のクローゼットの前《まえ》に立《た》つと、大《おお》きく息《いき》をすって、となえた。

「クローゼットのまじょさま、クローゼットのまじょさま、どうか、あたしのもとに！」

こぶしをにぎりしめた小春《こはる》は、扉《とびら》を力《ちから》いっぱいにノックする。

「コン！　コココン！」

すると、扉《とびら》がカタカタと音《おと》をたてて、ふるえだして…、ついには、ガタガタガタ！　と、大《おお》きくゆれると、クローゼットの中《なか》から声《こえ》がひびいた。

「ちょ、ちょっと、もしもし！　どなたか！」

「え？」

「扉《とびら》が開《ひら》かないんだけど！」

第4着
勇気が出る魔法をください

そうだった、小春《こはる》のクローゼットはカギつきなのである。

「あ、ごめん」

小春《こはる》がいそいで、カギを開《あ》けると、その魔女《まじょ》は服《ふく》といっしょにあふれでた。

「まったくもう！　こんにちわ！　こんばんわ！　おはよう！　あたしはクローゼットの魔女《まじょ》！　こくるん！」

クローゼットからやってきたのは、ドレス用《よう》の下着《したぎ》だけを着《き》ているヘンテコな女《おんな》の子《こ》・こくるんだ。

小春《こはる》は、そんなこくるんを、まじまじとながめてしまう。冬《ふゆ》なのにうす着《ぎ》で、くつ下《した》にハイヒールをはいているし、部屋《へや》の中《なか》なのに大《おお》きな帽子《ぼうし》なんかかぶっていて、変《へん》だ。

「…あなたが、ほんとうに、クローゼットのまじょ？」

「そうよ！　呼《よ》んでおいてカギを閉《し》めるなんて、どーゆーこと!?」

そこへ、あむあむも飛《と》びだして来《き》た。

「ムー！　こくるん！　なんでいつも先《さき》に行《い》くのさ！」

そう言《い》って、こくるんの周《まわ》りをプンプンと飛《と》びまわるあむあむを、小春《こはる》は目《め》で追《お》う。

あむあむも、やっぱり、ヘンテコだ。黒《くろ》くて、まんまるで、耳《みみ》はとんがっていて…。

「そらとぶ…ネコ？」

「ムー！　ネコじゃない！　コウモリ！　の！　あむあむだもん！」

あむあむは、またまたおこって、こくるんは大笑《おおわら》い。

「このネコみたいのは、あむあむ。あたしのゲボクね」

「ムー！　ゲボクじゃない！　使《つか》い魔《ま》！　こくるんは半人前魔女《はんにんまえまじょ》のくせにさ！」

そうしてケンカを始《はじ》めてしまったこくるんとあむあむに、小春《こはる》はあきれてしまう。

「もう！　こくるん、あむあむ！　けんかしてるばあいじゃないよ！」

と、小春《こはる》は、こくるんとあむあむの間《あいだ》に割《わ》り込《こ》んで、声《こえ》をひそめた。

「ふたりとも、いい？　今《いま》からおねーちゃんにへんしんして、ハヤトに告白《こくはく》してほしいの。できる？」

「おねーちゃん？　に、変身《へんしん》？」

「ム？　キミじゃなくて？」

「そう。あたしじゃなくて」

そうして、風花《ふうか》のクローゼットから服《ふく》を選《えら》んだこくるんは、氷《こおり》でできた透明《とうめい》な瓶《びん》を取《と》り出《だ》して、寝《ね》ている風花《ふうか》の口《くち》へと近《ちか》づけた。

小春《こはる》は、その瓶《びん》を不思議《ふしぎ》そうに見《み》つめる。

「こくるん、なにこれ？」

ポタポタと、とけかけている瓶《びん》は、氷《こおり》の宝石《ほうせき》のようだ。

「きれい」と、小春《こはる》は思《おも》わず見入《みい》ってしまう。

「これは、パフューマー。ここに投《な》げキッスをすると、香水《こうすい》が調合《ちょうごう》されて、あたしは変身《へんしん》できるの。けど今日《きょう》は、投《な》げキッスじゃなくて、寝息《ねいき》だけどね」

そう言《い》うとこくるんは、パフューマーのハートの形《かたち》をしたところに、風花《ふうか》の寝息《ねいき》をあてると、そそくさと風花《ふうか》の部屋《へや》を出《で》た。

小春《こはる》の部屋《へや》にもどってきたみんなは、パフューマーの中《なか》をのぞきこむ。

「ムー…大丈夫《だいじょうぶ》かなぁ」

パフューマーの中《なか》では、『なにか』に、うすーく色《いろ》がついているけど、何《なに》色《いろ》かはよくわからない。青《あお》になったり、赤《あか》になったり、黄《き》になったりしながら、光《ひかり》をはなった。

「よし、完成《かんせい》かな」

そしてこくるんは、シュッと自分《じぶん》へ香水《こうすい》をふきかけると、その香《かお》りをすいこむけど…。

「うーん？　においが、あんまりしないな。まあ、いっか」

と、こくるんは、鼻歌《はなうた》まじりに呪文《じゅもん》をとなえはじめる。

「どれどれ♪　どれどれ♪」

すると、パフューマーは、さらに光《ひかり》をましていき、

「ドレスアップ！」

の呪文《じゅもん》と同時《どうじ》に、はじけるように消《き》えて、小春《こはる》の目《め》の前《まえ》には、制服姿《せいふくすがた》の風《ふう》花《か》に変身《へんしん》したこくるんがあらわれた。

けれど小春《こはる》は、制服《せいふく》の上《うえ》に花《はな》ししゅうのカーディガンを着《き》たこくるんを見《み》ておどろく。

「え、学校《がっこう》にそんなハデなカーディガンを、きていったらダメだよ！」

「だってこの服《ふく》のままじゃ、まるっきり魔女《まじょ》の服《ふく》みたいじゃない」

聞《き》かない小春《こはる》は、こくるんからカーディガンをぬがした。

「ひどい！　コハルの、おたんこなす！」

第4着
勇気が出る魔法をください

「だめなものは、だめなの！」

今度《こんど》は、カーディガンをうばいあって、こくるんと小春《こはる》が大《おお》ゲンカだ。

一方《いっぽう》、朝《あさ》の中学校《ちゅうがっこう》は、とっても平和《へいわ》。だれもケンカなんかしていないし、小学校《しょうがっこう》みたいに、ドタドタ走《はし》りまわる子《こ》もいないし、ギャハハという大《おお》きな笑《わら》い声《ごえ》や、泣《な》き声《ごえ》なんかも聞《き》こえない。まるで大人《おとな》の会社《かいしゃ》みたいに落《お》ち着《つ》いた雰囲気《ふんいき》だ。

その中《なか》を、いっそう静《しず》かに下《した》を向《む》いてだれとも話《はな》さずに進《すす》んでいく颯人《はやと》は、席《せき》につくと、準備《じゅんび》を終《お》わらせて、すぐに本《ほん》を開《ひら》いて読《よ》み始《はじ》めた。

そして、その横顔《よこがお》は、ものすごくかっこいい。

颯人《はやと》の髪《かみ》の毛《け》はサラサラと風《かぜ》にそよぎ、色白《いろじろ》で小《ちい》さな顔《かお》には、スッキリとした鼻《はな》すじや、キレイな色《いろ》の瞳《ひとみ》がバランスよく配置《はいち》されていて、アニメや映《えい》

第4着
勇気が出る魔法をください

画《が》の主人公《しゅじんこう》みたいだ。

女子生徒《じょしせいと》たちは、こっそり、颯人《はやと》をぬすみ見《み》している。

と、そこへ――、

「やっほー！　ハヤト！　おはよう！」

と、こくるんの元気《げんき》な大声《おおごえ》がひびいた。

「!?」と、颯人《はやと》はあまりの大声《おおごえ》に本《ほん》から顔《かお》をあげると、花《はな》ししゅうのカーディガンを着《き》た陽気《ようき》な風花《ふうか》、に、変身《へんしん》したこくるんを見《み》た。

こくるんは、当《あ》てずっぽうにあいさつをしてみたものの、颯人《はやと》がだれかわからないので、キョロキョロと教室《きょうしつ》を歩《ある》きまわっている。

「おーい。ハヤトはどこ？　まったく、あいさつもできないの？」

みんなは、ザワザワとどよめく。

「どーした！　お前《まえ》、まだ熱《ねつ》あんの！」と、こくるんの事《こと》を男子生徒《だんしせいと》は笑《わら》うけど、こくるんは、男子生徒《だんしせいと》の顔《かお》をのぞきこんだ。

「キミがハヤト？」

「ち、ちげーよ！」男子生徒《だんしせいと》は、こくるんの距離《きょり》の近《ちか》さに顔《かお》が真《ま》っ赤《か》だ。

みんなは、そんなこくるんに「やばいやばい」と、さらに大《おお》はしゃぎ。さっきまでの平和《へいわ》な教室《きょうしつ》が、まるで小学校《しょうがっこう》のようにさわがしくなってしまった。

「な、なにしてんの！　風花《ふうか》！」

風花《ふうか》の親友《しんゆう》・理沙《りさ》は、こくるんを教室《きょうしつ》から廊下《ろうか》へと引《ひ》っ張《ぱ》り出《だ》した。

「ねえっ風花《ふうか》、救急車呼《きゅうきゅうしゃよ》ぼっか!? ほんとヤバいよ。頭《あたま》でも打《う》ったんじゃ、」

「それより、ハヤトってどこにいるの？」

こくるんは、そんな理沙《りさ》の心配《しんぱい》をよそに教室《きょうしつ》をのぞきこんでいる。

理沙《りさ》は理解不能《りかいふのう》だ。あの中島《なかじま》くんに風花《ふうか》が話《はな》しかけるなんて、しかも冗談《じょうだん》まで言《い》うだなんて、名前呼《なまえよ》びだなんて！ 絶対《ぜったい》に許《ゆる》されない。「調子《ちょうし》のってる」と、たちまちに、うわさが広《ひろ》まって、みんなから仲間《なかま》はずれにされてしまうかもしれない。

「中島《なかじま》くんに話《はな》しかけていいのは、ほら、B組《ぐみ》のサッカー部《ぶ》のエースとか、3年《ねん》とか、いけてるグループだけなのっ。知《し》ってるでしょ!?」

それ以外《いがい》の『普通《ふつう》』な理沙《りさ》や風花《ふうか》たちは、颯人《はやと》に消《け》しゴムをひろってもらうのだけだってダメだ。そんなこと、1年生《ねんせい》だって知《し》っていることなのに。

「ほんと、どうしちゃったの…」

理沙《りさ》は、先生《せんせい》がいないのを確認《かくにん》すると、こっそりスマホを取《と》り出《だ》して『中《なか》島颯人《じまはやと》』と検索《けんさく》して、こくるんに見《み》せた。そこには色々《いろいろ》な颯人《はやと》の写真《しゃしん》や記事《きじ》などがビッシリ。

「なるほど、これがハヤトね！　なによ、教室《きょうしつ》にいるじゃない！」

「そーじゃなくて…ほら、中島《なかじま》くんは、有名人《ゆうめいじん》でしょ」

颯人《はやと》は『イケメンすぎる中学生《ちゅうがくせい》』として有名《ゆうめい》なのである。SNS《エスエヌエス》でも『中《なか》島颯人《じまはやと》』はトレンドワードで、ネットで名前《なまえ》を検索《けんさく》すれば、颯人《はやと》の写真《しゃしん》がたくさん出《で》てくる。

「だから私《わたし》たちは見《み》てるだけ。中島《なかじま》くんは、観賞用《かんしょうよう》なの。わかった？」

「カンショー用《よう》って？　なに？」

「もう！　景色《けしき》といっしょってこと！　中島《なかじま》くんと私《わたし》たちは、生《い》きてる世界《せかい》がちがうの！」

こくるんは、それでもやっぱりわからない。なんで颯人《はやと》が景色《けしき》といっしょなんだろう。近所《きんじょ》に住《す》んでいて、友達《ともだち》で、同《おな》じ教室《きょうしつ》にいて、同《おな》じ時間《じかん》に生《い》きているのに、どうして生《い》きる世界《せかい》がちがうのだろうか。

どうやら、今回《こんかい》のお仕事《しごと》は今《いま》まで以上《いじょう》にむずかしくなりそうだ。

「ふふ、腕《うで》がなるわね！」

理沙《りさ》は、ガックリと大《おお》きなため息《いき》をついた。

なのに、「いっただきまーす！」と、こくるんは能天気《のうてんき》に給食《きゅうしょく》をガツガツと食《た》べていく。

これには理沙《りさ》も周《まわ》りの生徒《せいと》たちも、あっけにとられるばかり…。こくるんは、授業《じゅぎょう》は寝《ね》て過《す》ごすし、体育《たいいく》では踊《おど》るし、世界地図《せかいちず》は切《き》り刻《きざ》んでパズルにしてしまうし、やりたい放題《ほうだい》だ。

「ムゥ、こくるん、コハルにおこられるよ…早《はや》く告白《こくはく》しよーよ」

「だって、小学校《しょうがっこう》より給食《きゅうしょく》おいしーんだもん！　フルーツポンチおかわり！」

これで、3回目《かいめ》のおかわりだ。

「ムっ。ハヤトが出《で》てっちゃったよ！　追《お》いかけよーよ！」

「おっけー食《た》べたらね！」


そしてやっと、トイレへと行《い》った颯人《はやと》を追《お》いかけたこくるんは、あむあむといっしょにトイレ前《まえ》で颯人《はやと》を待《ま》ちぶせするけれど、颯人《はやと》はなかなか出《で》てこない。

「もー！　なかなか、出《で》てこないわね」

「ム、うんこかな？」

そこへ、キラキラといい香《かお》りをただよわせて、3年《ねん》の女子生徒《じょしせいと》たちがやってきた。

3年生《ねんせい》たちは、メイクもヘアセットもバッチリで、1・2年生《ねんせい》では着《き》れない派手《はで》な上着《うわぎ》や、リボンをつけている。

「ねえ、男子《だんし》トイレなんかのぞいて、なにしてんの？」

3年生《ねんせい》たちの中《なか》でひときわ派手《はで》なひとりが、こくるんに、声《こえ》をかけると、周《まわ》りの者《もの》も、こくるんをバカにするように「へんたい？」「こわ！」と、口《くち》をそろえる。

けれど、ふり向《む》いたこくるんの顔《かお》は真剣《しんけん》だ。

「ハヤトが全然出《ぜんぜんで》てこないの。やっぱり、うんこしてるのかしら？」

「！」

3年生《ねんせい》たちは、そう然《ぜん》。

「な、なに言《い》ってんの！　颯人様《はやとさま》が、う、うんこなんて、」

が、タイミング悪《わる》く、男子《だんし》トイレから颯人《はやと》が出《で》てきた。

「あ、ハヤト！大丈夫《だいじょうぶ》？便秘《べんぴ》なの？」

「え…あ、うん」と、颯人《はやと》が困《こま》りながらもこくるんに答《こた》えると、

「きゃあー!!」と、3年生《ねんせい》たちは悲鳴《ひめい》とともにヒザからくずれ落《お》ちた…。

そして颯人《はやと》は、にげるようにいなくなってしまった。

また告白《こくはく》ができなかったこくるんは、放課後《ほうかご》になってやっと颯人《はやと》のバスケ

部《ぶ》がいる体育館《たいいくかん》にやって来《き》たけど、体育館《たいいくかん》は大混雑《だいこんざつ》だ。

「な、なにこれ……！」

「ムム！」

中学校《ちゅうがっこう》の生徒《せいと》たちはもちろん、どこから入《はい》ってきたのか、生徒《せいと》ではない見《けん》物客《ぶつきゃく》が体育館《たいいくかん》を取《と》り囲《かこ》んでいて、まるで、コンサート会場《かいじょう》のようなのである。

先生《せんせい》たちは『部外者立入禁止《ぶがいしゃたちいりきんし》』の看板《かんばん》を持《も》って走《はし》り回《まわ》っているけど、「私《わたし》は卒業生《そつぎょうせい》なの！」とか「整理券配《せいりけんくば》ってよ！」と声《こえ》があがったり、もめたりしていて、ものすごい熱気《ねっき》だ。

「ま、まけないわよ！」

「ム！　よし！」

けれど、こくるんとあむあむは、体育館《たいいくかん》に近《ちか》づこうとすればするほど、人《ひと》の波《なみ》におし返《かえ》されて、体育館《たいいくかん》に近《ちか》づけないまま、うっそうと木《き》がしげるうす暗《ぐら》い裏口《うらぐち》にたどりついてしまった。

どうやらここは、だれも使《つか》っていない場所《ばしょ》のようで、ボロボロの机《つくえ》やイス、せっこう像《ぞう》などの、ガラクタがたくさん捨《す》てられていて、まるでオバケ屋敷《やしき》のようだ。

「なにここ…も、もうもどろっ、あむあむ」

「ム？　快適《かいてき》じゃない？　暗《くら》くて湿《しめ》っててさ。ここで休憩《きゅうけい》していこうよ」

「…コウモリって陰気《いんき》くさいわね」

と、そこへ、真《ま》っ黒《くろ》な男《おとこ》が目《め》の前《まえ》にあらわれた。

「ぎゃぁあ！」「ムーー！」

真《ま》っ黒《くろ》なジャージの上下《じょうげ》に、真《ま》っ黒《くろ》なキャップに、マスクだなんて！　あやしすぎる！

「どろぼー！」

どろぼーの方《ほう》も、そんなこくるんにおどろいて、あわてて走《はし》り出《だ》すと、草《くさ》にうもれたフェンスの穴《あな》から外《そと》へと出《で》た。

「まて！　どろぼー！」

こくるんも、フェンスの穴《あな》をくぐって、どろぼーの後《あと》を追《お》うと、体当《たいあ》たり！　そして馬乗《うまの》りになって、どろぼーをつかまえた。

「やった！　あたしったら、お手柄《てがら》！　きっと賞金《しょうきん》がもらえるわよ！」

けれど、そのどろぼーの顔《かお》をよく見《み》ると……颯人《はやと》だ。

「ハヤト⁉　なんで、どろぼーなんて…」

「…えっと、や、どろぼーじゃなくて…俺《おれ》が正門《せいもん》から帰《かえ》ると、さわぎになっちゃうから、」

しかし、そこへ、

「中島《なかじま》くんじゃん！　なにしてるの！」と、黄色《きいろ》い声《こえ》があがった。

颯人《はやと》に気《き》づいた人《ひと》たちが、集《あつ》まってきたのだ。

すると、颯人《はやと》はあわててキャップとサングラスとマスクをつけて、足早《あしばや》に歩《ある》いて行《い》く。

「まってよ！　ハヤト！」

そして、こくるんはまた、たくさんの人《ひと》にモミクチャにされて颯人《はやと》を見《み》失《うしな》ってしまった。

「もー！　なんなのよ！」

小春《こはる》は、帰《かえ》ってきたこくるんが告白《こくはく》できなかったことを知《し》って、あきれてしまう。

「…なんだ。クローゼットのまじょって、たいしたことないんだね？　ガッカリ」

「だって！　ニンゲンばっかりでハヤトまでたどり着《つ》けないし！　ハヤトはあたしのこと無視《むし》するし、あいさつもしてくれないし！」

小春《こはる》は、大《おお》きな大《おお》きなため息《いき》をついた。

「しっぱいだったかなぁ、まじょに、たのむなんて」

「あたしだって失敗《しっぱい》だったわ！　こんなお仕事《しごと》をひきうけるなんて！　見返《みかえ》りに風花《ふうか》の服《ふく》はいただいて帰《かえ》りますからね！」

「どうして？　しっぱいしたんだから、みかえりなんてダメだよ」

「は！　じゃ、じゃあ！　コハルのそのブレスレットでいいわよ。それをちょーだい」

こくるんは、コハルの手首《てくび》にかがやいている、ビーズのブレスレットを指《ゆび》さした。

「これは、もっとダメ！　むかし、ハヤトとおねーちゃんが、つくってくれた、せかいにひとつだけの、たからものだもん」

「ひどい…」

今回《こんかい》のお仕事《しごと》は、大失敗《だいしっぱい》である。

「これからは、お仕事《しごと》とお客《きゃく》さまは選《えら》ばなくちゃ！　まったく！」

と、こくるんは、手《て》ぶらのままで、おこりながらクローゼットへと帰《かえ》っていったのだった。

第4着
勇気が出る魔法をください

その夜《よる》、風花《ふうか》のスマホには、理沙《りさ》からメッセージが届《とど》いた。

『今日《きょう》、大丈夫《だいじょうぶ》だった？　変《へん》なもんでも食《く》った？』

なにも知《し》らないパジャマ姿《すがた》の風花《ふうか》は、ベッドの上《うえ》で笑《わら》うと、『食《た》べてないよ！　ただの風邪《かぜ》。もう治《なお》ったから明日《あした》ね』と、メッセージを送《おく》り返《かえ》すと、スマホを置《お》いて、ベッドにもぐりこんだ。

しかし風花《ふうか》が寝《ね》てしまった後《あと》、スマホのバイブは、ブー、ブー……と静《しず》かに鳴《な》り続《つづ》け——。


「わ！」

次《つぎ》の日《ひ》の朝《あさ》、風花《ふうか》は目覚《めざ》ましの音《おと》で飛《と》び起《お》きると、「やば！」とあわてて制服《せいふく》に着《き》がえて、部屋《へや》を飛《と》び出《だ》し、なんとかギリギリ、チャイムが鳴《な》る前《まえ》に教室《きょうしつ》に入《はい》ると、足《あし》を止《と》めた。

「え？」

風花《ふうか》がやってきたとたんに、教室中《きょうしつじゅう》のみんなが、一斉《いっせい》にコチラを見《み》たのだ。

そして颯人《はやと》が、ガタンッと立《た》ち上《あ》がり、風花《ふうか》の横《よこ》を通《とお》り過《す》ぎて教室《きょうしつ》を出《で》て行《い》った。

「な、なに？」

すると、みんなは風花《ふうか》を、とり囲《かこ》む。

「見《み》たぞ！　あの写真《しゃしん》って、ほんとにオマエ？　なにしてたんだよ？」

「ちょっと！　中島《なかじま》くんに体当《たいあ》たりしておしたおしたって聞《き》いたけど!?」

「付《つ》き合《あ》ってるなんて、うそだよね？」

風花《ふうか》は、訳《わけ》がわからない。なにが起《お》きているのか…。

「な、なに、なんのこと!?」

見《み》かねた理沙《りさ》が、風花《ふうか》を教室《きょうしつ》から引《ひ》っ張《ぱ》り出《だ》した。

「もしかして風花《ふうか》、スマホ見《み》てないの…？」

理沙《りさ》に言《い》われて、自分《じぶん》のスマホを見《み》た風花《ふうか》は、目《め》を疑《うたが》う。風花《ふうか》のスマホの着信《ちゃくしん》メッセージは、なんと、１００件《けん》を超《こ》えている…。

「なんで!?」

友達《ともだち》も、知《し》り合《あ》いも、どこで連絡先《れんらくさき》を知《し》ったのか知《し》らない人《ひと》からも、颯《はや》人《と》と風花《ふうか》の事《こと》についての大量《たいりょう》にメッ

セージが来《き》ているのだ。

そして、理沙《りさ》は自分《じぶん》のスマホ画面《がめん》を見《み》せた。そこには、風花《ふうか》が颯人《はやと》に体当《たいあ》たりして、馬乗《うまの》りになった写真《しゃしん》がSNS《エスエヌエス》にアップされている。

「なに、これ…」

風花《ふうか》がスマホ画面《がめん》をふるえる指《ゆび》でスクロールしていくと、写真《しゃしん》には、1万《まん》以上《いじょう》のリアクションがついていて、その数《かず》は今《いま》もどんどん増《ふ》えていき、コメント欄《らん》には『ついに中島《なかじま》くんにも彼女《かのじょ》!』とか『この子《こ》ストーカー?』などと、数《かぞ》え切《き》れないほどの色々《いろいろ》なコメントであふれかえっている。そして風花《ふうか》はスクロールする指《ゆび》を止《と》めた。

『きもい』

風花《ふうか》の見《み》た目《め》をバカにするような言葉《ことば》が、コメントの中《なか》にあったのだ。それを見《み》た風花《ふうか》は胸《むね》の奥《おく》がにぎりつぶされたみたいに、痛《いた》い。

第4着
勇気が出る魔法をください

理沙《りさ》の話《はなし》によると、昨日《きのう》、派手《はで》なカーディガンを着《き》た『私《わたし》』が登校《とうこう》してきて、颯人《はやと》に「おはよう！」と言《い》ったり、颯人《はやと》の後《あと》を追《お》い回《まわ》したり、していたらしい。

風花《ふうか》には身《み》に覚《おぼ》えなんて、ないのに。

そうして教室《きょうしつ》にもどった風花《ふうか》は、もう顔《かお》をあげられない。授業《じゅぎょう》が始《はじ》まっても机《つくえ》を必死《ひっし》に見《み》つめるばかりだ。しかも机《つくえ》には描《か》いた覚《おぼ》えのない落書《らくが》きさえある…。

「なんなの…」

机《つくえ》の落書《らくが》きは、こくるんがヒマつぶしにあむあむを描《か》いたものだけど、知《し》らない風花《ふうか》は必死《ひっし》で消《け》しゴムでこする。なのに、こすってもこすっても落書《らくが》きは消《き》えない。

「もう、やだ」

休《やす》み時間《じかん》になっても、颯人《はやと》は教室《きょうしつ》にもどってこないし、他《た》クラスや他学年《たがくねん》からも風花《ふうか》を見《み》に来《き》た野次馬《やじうま》で廊下《ろうか》はいっぱいだ。

そして、「きも」と、だれかが言《い》ったのを風花《ふうか》は聞《き》いた。

心《こころ》が、つぶれる音《おと》を聞《き》いた。


「風花《ふうか》！」

風花《ふうか》は、理沙《りさ》が止《と》めるのも聞《き》かずに、教室《きょうしつ》を飛《と》び出《だ》して走《はし》る。

第4着
勇気が出る魔法をください

廊下《ろうか》も、中庭《なかにわ》も、保健室《ほけんしつ》も、図書室《としょしつ》も、校庭《こうてい》も、どこにもにげ場《ば》なんてない。

見《み》わたす限《かぎ》り、火《ひ》の海《うみ》だ。

あつくて、こわくて、息《いき》もできない。

炎《ほのお》は、メラメラと風花《ふうか》を焼《や》いていく。


そうして次《つぎ》の日《ひ》、風花《ふうか》は学校《がっこう》を休《やす》んだ。

純度《じゅんど》100%の理沙《りさ》は、「風花《ふうか》のニセモノを探《さが》そう！」と、言《い》ってくれたが風花《ふうか》はもう人前《ひとまえ》に出《で》ることさえこわい。学校中《がっこうじゅう》が、もしかしたら近所中《きんじょじゅう》、いや、日本《にほん》、世界中《せかいじゅう》の知《し》らないだれかが、私《わたし》の顔《かお》を知《し》っているのだと思《おも》うと
もう、一歩《いっぽ》だって外《そと》に出《で》られない。

「でも、本物《ほんもの》の風花《ふうか》じゃなかったんでしょ？」

電話口《でんわぐち》で理沙《りさ》はそう言《い》うけど。

「本当《ほんとう》のことなんか、だれも信《しん》じないよ。理沙《りさ》だって、おとといの私《わたし》が私《わたし》だと思《おも》ったんでしょ？」

「そーだけど…でも、だって風花《ふうか》は家《いえ》にいたんでしょ？」

「なんかもう、それもわからなくなってきた…」

みんなが、あの日《ひ》みた私《わたし》を本物《ほんもの》だと決《き》めたのだ。SNS《エスエヌエス》にアップされた私《わたし》が、私《わたし》であると決《き》められたのだ。だから、きっと、今《いま》ここにいる私《わたし》がニセモノなんだろう——。

そして小春《こはる》は、部屋《へや》から出《で》てこなくなってしまった風花《ふうか》をどうにかしようと、ふたたびクローゼットの前《まえ》に立《た》つと、こくるんを呼《よ》びだそうとするのに、こくるんは来《こ》ない。

「もうっ」

小春《こはる》は、もう一度《いちど》大《おお》きくノックすると、大声《おおごえ》でさけんだ。

「こくるん！　ブレスレットをあげるから、来《き》て！」

すると、すかさず、バン！　と扉《とびら》を開《あ》けて、こくるんと、あむあむがやって来《き》た。

「やっと見返《みかえ》りを、くれる気《き》になったのかしら？」

「うん。だから、こんどこそ、告白《こくはく》をせいこうさせて」

と、小春《こはる》はブレスレットをこくるんの手首《てくび》につけた。

「…こんどこそ？」

「こんどはぜったい、ハヤトに告白《こくはく》してよね！　やってくれないなら、クローゼットのまじょはインチキだって、いいふらすもんね」

「な！」

「ムム！」

「しょーばいは、しんよーが、たいせつだって、パパがいってたよ？」

ニンゲンは、おそろしい生《い》き物《もの》だ…。こくるんは、めずらしく、大《おお》きなため息《いき》をついた。


「ほらほら、パフューマー、かして。あたしがちゃんと、やってあげる！」

小春《こはる》は、そう言《い》うとこくるんからパフューマーを受《う》け取《と》り、いきおいよく風花《ふうか》の部屋《へや》のドアを開《あ》けて入《はい》って行《い》くと、風花《ふうか》の「もうほっといて！」という声《こえ》とともに、あわてて部屋《へや》から飛《と》び出《だ》してきた。

「こ、こくるん！　ほら！　かんせい！」

「え？」「ム！」

小春《こはる》は、風花《ふうか》の怒鳴《どな》り声《ごえ》をあびてビカビカと光《ひか》るパフューマーを、こくるんに向《む》けると、シュッと香水《こうすい》をふきかけた。

第4着
勇気が出る魔法をください

「いっ！　っったい！」

こくるんは、カミナリが落《お》ちたようにビリビリと風花《ふうか》に変身《へんしん》したのだった。

「ゲップ!!」

一方《いっぽう》の颯人《はやと》は、朝《あさ》からコーラを一気飲《いっきの》みすると、教室《きょうしつ》で大《おお》きなゲップをした。

いつものかっこいい颯人《はやと》とは、全《まった》くちがう颯人《はやと》にクラスのみんなは、そう然《ぜん》だ。

サラサラな髪《かみ》は、ボサボサだし、靴下《くつした》は左右《さゆう》の色《いろ》が合《あ》ってないし、うっすらとヒゲも生《は》えているし、鼻《はな》クソだってほじるし、オナラをするし、ズボンのチャックも全開《ぜんかい》だ……。

教室《きょうしつ》にやって来《き》たこくるんは、そんな颯人《はやと》を見《み》てゲンナリ。

「うえ」あんなやつに告白《こくはく》するの、いやだ。

「ムゥ……ばっちい……」

クラスのみんなも、風花《ふうか》の事《こと》を気《き》にもとめないくらい、颯人《はやと》にくぎづけだ。

その後《ご》も、颯人《はやと》は、体育《たいいく》でノロノロと走るし、先生《せんせい》に注意《ちゅうい》されても「うぃー」と生意気《なまいき》だし、テストは0点《てん》だし、部活《ぶかつ》でも、写真《しゃしん》を撮《と》ってくる見物客《けんぶつきゃく》たちに、「もう写真撮《しゃしんと》らないで！」と、大声《おおごえ》で怒鳴《どな》っている。

どうやら颯人《はやと》は、わざと『かっこよくない』ことをしているみたいだ。

しかし、あまり効果《こうか》はない。それどころかみんなは、「髪型《かみがた》かわいい！」とか、「おこった顔《かお》も美《うつく》しい！」と、もりあがっているので、颯人《はやと》はもうつかれてきている。

結局《けっきょく》、颯人《はやと》は、なにをしたってかっこいいのだ。オナラしたって、ゲップしたって、変《か》わらない。そう決《き》まっているのだ。かっこいいと決《き》まっているのである。

けれど、こくるんだけは、あきれ顔《がお》。

「さいてー！　フーカってこんなやつのどこがいいの？」

それなのに小春《こはる》は、コンパクトから「告白《こくはく》できた？　早《はや》くしてよ！」と、せかしてくるので、ついに、こくるんはコンパクトの魔法《まほう》をといて、閉《と》じてしまった。

「ム！　だめだよ、こくるん！」

「ふん！　あたしには、あたしのやり方《かた》があるんだから！」

そして放課後《ほうかご》。今日《きょう》もうす暗《ぐら》い学校《がっこう》の裏口《うらぐち》に、真《ま》っ黒《くろ》な颯人《はやと》はやって来《き》た。

待《ま》ちぶせしていた、こくるんは、大声《おおごえ》でさけぶ。

「ハヤト！」

やっぱり颯人《はやと》は、にげるように走《はし》っていく。

「ハヤト！　なんで無視《むし》するの！　どうしてあいさつもしてくれないの！」

「……そ、それは、」

そして颯人《はやと》がやっとふり返《かえ》ると、風花《ふうか》がふたり…。

「え？」

あむあむと、こくるんも、突然《とつぜん》の風花《ふうか》の登場《とうじょう》に、「ム！」「え？　なんで!?」と大《おお》あわてだ。そして風花《ふうか》のとなりにいる理沙《りさ》が、こくるんをにらんだ。

「やっぱりアンタが風花《ふうか》のニセモノだったんだね！」理沙《りさ》は得意顔《とくいがお》だ。

どうやら理沙《りさ》が家《いえ》にいた風花《ふうか》を呼《よ》んで来《き》たらしい。

「えええ…」と、颯人《はやと》は大混乱《だいこんらん》である。


「ムー！　大変《たいへん》なことになったぞ、こくるん！　ここはいったん、にげよ！」

あむあむはそう言《い》うけれど、こくるんは、聞《き》かない。それどころか、風花《ふうか》に近《ちか》づいていき、顔《かお》をのぞきこんだ。

「ねえ、フーカ！　なんでハヤトなんかが好《す》きなわけっ」

「な！　なに急《きゅう》に。別《べつ》にっ私《わたし》は好《す》きだなんてっ」

風花《ふうか》は突然《とつぜん》のことに、しどろもどろだけど、こくるんは止《と》まらない。

「あたしは、ハヤトなんかきらい！　告白《こくはく》なんかできないもん。きたないし、性格《せいかく》も悪《わる》いしさ」

第4着
勇気が出る魔法をください

「は、きたなくないし！　性格《せいかく》も悪《わる》くないよっ」

と、とっさに大声《おおごえ》が出《で》てしまった風花《ふうか》は顔《かお》が真《ま》っ赤《か》になってしまった。

「ふーちゃん…」颯人《はやと》は、そんな風花《ふうか》に話《はな》しかけようとするけど、こくるんは止《と》まらない。

「だって！　見《み》てよ！　ズボンのチャックだって開《ひら》きっぱなしなんだよ!?」

「ほんとだ…け、けど、そんなの閉《し》めればいいだけだし」

「写真撮《しゃしんと》ってくれてる子《こ》にも、すっごいおこってたし」

「勝手《かって》に撮《と》られるのは、だれだって嫌《いや》だよ」

「なんで？　あたしはうれしいもん！」

「それは、あなただけでしょ。私《わたし》はすごく迷惑《めいわく》してるんだからっ」

気《き》づけば風花《ふうか》は、ふだんは言《い》わない自分《じぶん》の気持《きも》ちをこくるんにぶつけている。

ふたりの颯花《ふうか》は、颯人《はやと》のことなんかほったらかしで、大《おお》ゲンカだ。

「なによ！　髪《かみ》の毛《け》だってボサボサじゃない！」と、こくるんが言《い》えば、

「ほんとはクセ毛《げ》だから」と颯花《ふうか》は負《ま》けじと答《こた》える。けれど、こくるんだって負《ま》けない。

「で、でも！　あたし、見《み》たんだから！　ハヤトが鼻《はな》クソほじって机《つくえ》につけたんだよ！」

「昔《むかし》っから、ティッシュ持《も》ち歩《ある》かないからね」

「オナラだって、してたんだよ！」

「この時季《じき》はいつもお腹《なか》こわすの」

「ゲップでかいし！」

「またコーラ一気飲《いっきの》みしたんでしょ」

理沙《りさ》も、颯人《はやと》も、こくるんと風花《ふうか》のやりとりに笑《わら》えてきてしまう。風花《ふうか》は

第4着
勇気が出る魔法をください

颯人《はやと》のことならなんだって知っている。嫌《いや》なところも、良《よ》いところも知《し》っているのだ。生《う》まれた病院《びょういん》もいっしょだったし、保育園《ほいくえん》だって小学校《しょうがっこう》だって、ずっといっしょだったのだから。

けれど、こくるんはやめない。

「でも！　あたしのこと、フーカのこと、無視《むし》したんだよ？」

「それは…」

「あいさつだって、してくれないし！」

「そうだけど…」風花《ふうか》は、ついに言葉《ことば》につまってしまった。

「目《め》も合《あ》わせてくれないじゃない！」

「…それは…中島《なかじま》は、私《わたし》なんかとはちがうから」

「ちがうって、なにが？　ただのニンゲンじゃない！」

「生《い》きてる世界《せかい》が、ちがうの」

「は？　同《おな》じニンゲン界《かい》なのに？」

「それでも…中島《なかじま》が私《わたし》なんかと話《はな》してたら、変《へん》だから」

「なんで、変《へん》なの」と、やっと口《くち》を開《ひら》いた颯人《はやと》は、風花《ふうか》をしっかりと見《み》た。

けれど、風花《ふうか》は颯人《はやと》をまっすぐに見《み》られない。

「変《へん》、だよ」

「変《へん》じゃない」

「変《へん》」

「変《へん》じゃないって」

「変《へん》だって！」

「なんでだよ！」

「だって！　中島《なかじま》は観賞用《かんしょうよう》だから！」

そしてやっと颯人《はやと》を見《み》た風花《ふうか》は、その顔《かお》を見《み》てだまってしまう。颯人《はやと》は眉《み》

間《けん》にしわをよせてくちびるをかんでいる。この顔《かお》は泣《な》くのをガマンしている時《とき》の顔《かお》だ。バスケで負《ま》けた時《とき》も、飼《か》っていた犬《いぬ》が死《し》んじゃった時《とき》も、自転車《じてんしゃ》にうまく乗《の》れなかった時《とき》もこの顔《かお》をしていた。

「ふーちゃんだけは、変《か》わらないと思《おも》ったのに……、中学《ちゅうがく》になってから僕《ぼく》のことさけるようになったよね？　学校《がっこう》もいっしょに行《い》く約束《やくそく》してたのに」

「…だって、」

「僕《ぼく》は、なんにも変《か》わってないよ？　みんなと同《おな》じだよ。みんながどんどん変《か》わってくだけじゃん。僕《ぼく》だって写真撮《しゃしんと》られるのは嫌《いや》だし、嫌《いや》だって断《ことわ》るとカッコつけてるって言《い》われるから、みんなのこと嫌《きら》いだし、みんなが嫌《きら》いな僕《ぼく》もさいてーだし。バスケの選手《せんしゅ》になりたいのに、母《かあ》さんはアイドルのオーディションに勝手《かって》に申《もう》し込《こ》むし。母《かあ》さんも嫌《きら》い。だから、ふーちゃんが、この前《まえ》話《はな》しかけてくれて、うれしかった……でも、迷惑《めいわく》かけて、ごめん」

と、颯人《はやと》は、フェンスの向《む》こうへと行《い》ってしまった。

校舎《こうしゃ》の方《ほう》から、スマホを手《て》にした見物客《けんぶつきゃく》たちがやって来《き》たのだ。

「いいの？」と、理沙《りさ》は聞《き》くけど、風花《ふうか》は、颯人《はやと》を追《お》いかけなかった。追《お》いかけても追《お》いつけるはずがない。どうやったって、前《まえ》みたいにはもどれないのだ。だから、

「もういい」

と、風花《ふうか》は、理沙《りさ》に答《こた》えたけど、涙《なみだ》がこぼれた。ふいてもふいても、あふ

れてしまう。だって本当《ほんとう》は、追《お》いかけたい。本当《ほんとう》は、いっしょに帰《かえ》りたいし、本当《ほんとう》は、前《まえ》みたいに遊《あそ》びたい。

風花《ふうか》は、今《いま》でもずっと颯人《はやと》が好《す》きなのだ。


こくるんは、ますますわからない。チンプンカンプンだ。

フーカはやっぱりハヤトが好《す》きみたいだ。ハヤトだって…。

なのに、どうして、ふたりとも告白《こくはく》をしないのだろう。好《す》きなら、好《す》きと言《い》わないのだろう。どうして、ニンゲンはいつも、自分《じぶん》の気持《きも》ちを、かくすのだろうか？


「こくるんの、ダメまじょ！」

小春《こはる》は、こくるんがまた告白《こくはく》を失敗《しっぱい》したので、怒《いか》り心頭《しんとう》である。

「はあ！　あたしのせいじゃないもん！」こくるんは、心外《しんがい》だ。

風花《ふうか》は、そんなふたりに、ウンザリ。小春《こはる》から聞《き》いた魔女《まじょ》が本当《ほんとう》にいるなんておどろきだけど、今《いま》はそれどころじゃない。

「…小春《こはる》、私《わたし》はもう、中島《なかじま》とは遊《あそ》べないの。わかった？」

「じゃあ、もう、おねーちゃんは、ハヤトをすきじゃないってこと？　ハヤトも、おねーちゃんを、すきじゃないってこと？」

「…うん」

「ほんとに？」

「……ほんとに」

そして、うつむいてしまった小春《こはる》を、風花《ふうか》は見《み》ないようにして部屋《へや》へともどった。

こくるんも、しょうがないので、ブレスレットを返《かえ》そうとするが、小春《こはる》は

「もーいい、あげる」と、こくるんに言《い》った。

「ム？　コハル…？」

「だって、おねーちゃんはもうハヤトのこと、すきじゃないみたいだし。ハヤトも、おねーちゃんのこと、すきじゃないみたいだし。ぜんぶ、あたしの、かんちがいだったみたいだし。ごめんね、こくるん」

そう言《い》って笑《わら》ったとたん小春《こはる》は、ボロボロと泣《な》いた——。

そして、ブレスレットをもらってクローゼット屋敷《やしき》についたこくるんは、ベッドに横《よこ》になっても、なんだかモヤモヤ。あむあむだって、モヤモヤ。いつもみたいに、昼寝《ひるね》しようとしても、ねむれないし、ゲームをしても、お菓子《かし》を食《た》べても、ふたりはモヤモヤモヤモヤモヤ…。

小春《こはる》にもらったブレスレットはキラキラとかがやいているのに、こくるんは、なんにもウキウキしない。

「あーーもう！　めんどくさい！　ニンゲンって本当《ほんとう》に、やっかい！」

風花《ふうか》は自分《じぶん》のクローゼットを見《み》つめて、思《おも》う。

魔法《まほう》が全部《ぜんぶ》を解決《かいけつ》してくれたら、どんなにいいだろう。なにも考《かんが》えずに、楽《たの》しくいられたら、どんなにいいだろう。なにも気《き》にしない、強《つよ》くてキレイな自分《じぶん》になれたら…。

でも、

「もう私《わたし》たちは、子《こ》どもじゃない」

現実《げんじつ》のかべは、高《たか》い。

魔法《まほう》なんかじゃ、どうにも、こえられない。

そうしてやっぱり、風花《ふうか》は次《つぎ》の日《ひ》も学校《がっこう》には行《い》けない。パジャマのままで、ゴミ出《だ》しに行《い》くのだけで、精一杯《せいいっぱい》だ。ななめ向《む》かいの家《いえ》から颯人《はやと》が出《で》てくるのが見《み》えたのに、風花《ふうか》はうつむいた。今日《きょう》の颯人《はやと》は、いつもの颯人《はやと》だ。髪《かみ》の毛《け》はサラサラで、かっこいい。

そして、颯人《はやと》も風花《ふうか》に気《き》づいて、目《め》をそらした。そうやってふたりは、知《し》らぬ顔《かお》して通《とお》りすぎる。まるで透明《とうめい》みたいに。まるで他人《たにん》みたいに。

颯人《はやと》が行《い》ったあとで風花《ふうか》は、コッソリふり返《かえ》ってみるけど、颯人《はやと》はもうふ

り返《かえ》らない。その背中《せなか》はどんどん小《ちい》さくなっていくだけだ。

きっとこのまま、颯人《はやと》は、行《い》ってしまう。きっとこのまま、私《わたし》たちはなにも話《はな》さないまま大人《おとな》になってしまう。それで颯人《はやと》は、私《わたし》の知《し》らない場所《ばしょ》へ、もっと遠《とお》くへ行《い》ってしまうのだろう。

……そんなの、私《わたし》は嫌《いや》なのに。

「お願《ねが》い」

「クローゼットの魔女《まじょ》さま、クローゼットの魔女《まじょ》さま」

と、ギュッと風花《ふうか》は、こぶしをにぎった。

「どうか……」

勇気《ゆうき》が出《で》る、魔法《まほう》をください。

すると、そこへ、

「ハヤト！　おっはよーう!!」

第4着
勇気が出る魔法をください

と、どこからか私《わたし》の、どでかい声《こえ》？　がひびいた。

風花《ふうか》はあたりを見《み》わたす。この声《こえ》は私《わたし》じゃない、きっと……でも、颯人《はやと》がふり返《かえ》った。

まっすぐに、見《み》る。

「…お、おはよう、颯人《はやと》」

今度《こんど》は、小《ちい》さな小《ちい》さな声《こえ》だったけど、颯人《はやと》には聞《き》こえた。

「おはよ、ふーちゃん」

それもかなり小《ちい》さい声《こえ》だったけど、風花《ふうか》には聞《き》こえた。

「…あの、颯人《はやと》、昨日《きのう》は、ごめ、」

すると、颯人《はやと》はバスケットボールを取《と》り出《だ》すと力《ちから》いっぱいに投《な》げた。

「わっ」

そうして風花《ふうか》がボールを見事《みごと》キャッチすると、颯人《はやと》が笑《わら》う。

その顔《かお》は、初《はじ》めてバスケでゴールを決《き》めた時《とき》の顔《かお》だ。あの頃《ころ》、私《わたし》たちは汗《あせ》だくで、きたなくて、アホみたいに笑《わら》いあって、ただボールを追《お》いかけていた。

第4着
勇気が出る魔法をください

と、そこへ「あさゴハンたべないのー？」とやって来《き》た小春《こはる》は首《くび》をかしげる。風花《ふうか》が、バスケットボールをだきしめて、ニヤニヤと笑《わら》っている…。

しかも、ゴミ出《だ》しもせずに。

「おねーちゃん…？　だいじょーぶ…？」

「ねえ、小春《こはる》、今《いま》からバスケの練習《れんしゅう》しよっか？」

「は、だめだよ？　学校《がっこう》いかなきゃ。小春《こはる》ついてってってあげるからさ」

「……ほんと、あんたって、おせっかい」

「まったく、ニンゲンってのは、世話《せわ》がやけるんだから！」

風花《ふうか》に変身《へんしん》しているこくるんは、風花《ふうか》のクローゼットにあった大人《おとな》っぽいシャツワンピースに、花《はな》ししゅうのカーディガンをはおると、「ふんっ」と鼻《はな》をならす。

その顔《かお》は、スッキリと満足《まんぞく》そうだ。

「ムフフ、よかったね。こくるん」

「はっ。べ、別《べつ》に？　あたしは、ちゃんと見返《みかえ》りが欲《ほ》しかっただけだし？」

そう言《い》うと、こくるんは、風花《ふうか》のクローゼットへ飛《と》びこんだ。

「ムー！　まってよ！　こくるん！」

そして、小春《こはる》のクローゼットには、ビーズのブレスレットがキラキラとかがやいたのだった。

第《だい》5着《ちゃく》

ケーキバンにご注意《ちゅうい》を！

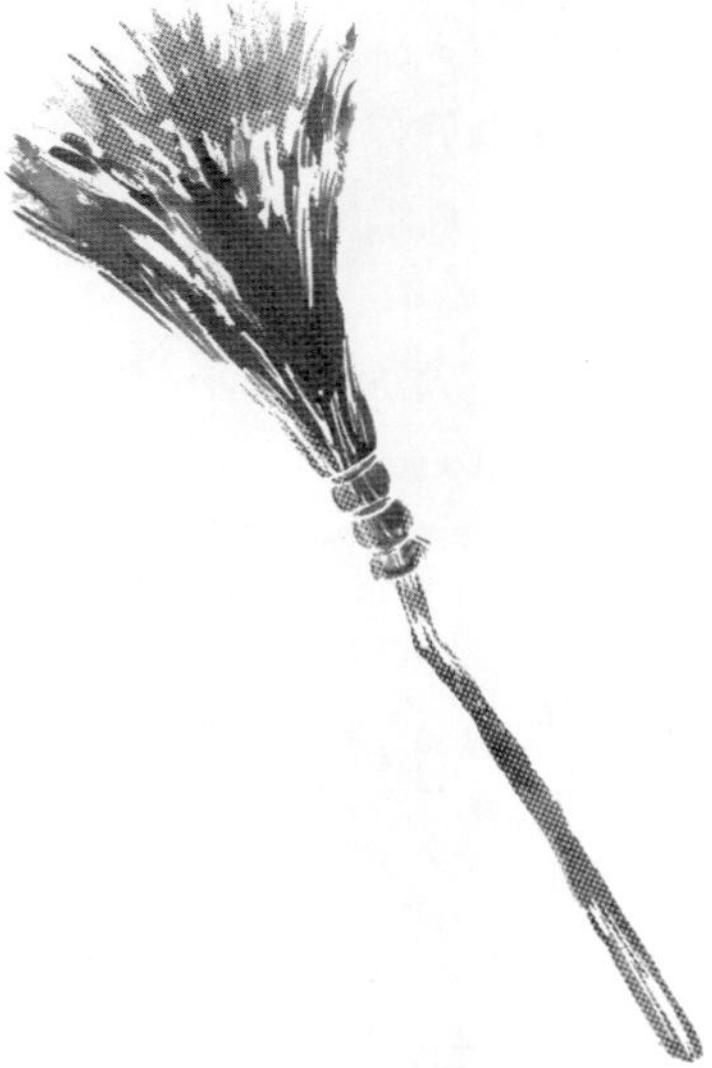

ひまだ。

ホウキに乗《の》った魔女《まじょ》たちは、いそがしそうに空《そら》を飛《と》びかっているというのに——。

「ふぁ～あ」

と、こくるんは、それをベッドから見上《みあ》げて、大《おお》あくび。

ここは、魔法界《まほうかい》。

最近《さいきん》、お仕事《しごと》が来《こ》なくてひまなこくるんは、告白代行《こくはくだいこう》のチラシを作《つく》って、あむあむといっしょにニンゲン界《かい》で、ばらまいている。けれど一向《いっこう》に扉《とびら》はノックされず、やることのないこくるんは、クローゼット屋敷《やしき》でベッドに寝転《ねころ》んで、ゲームとお昼寝《ひるね》に明《あ》けくれているのである。

そして今《いま》は、ベッドに乗《の》って家《いえ》に帰《かえ》る道中《どうちゅう》。

ベッドは、道草《みちくさ》を食《く》いながら、パカパカ進《すす》む。

第5着
ケーキバンにご注意を！

「ムー…こくるん、はずかしくないの？」

「どーして？　こんな楽《らく》ちんなことってないじゃない。あむあむも飛《と》んでないで、こっちに来《き》たら？」

あむあむは、「ムゥ…」と、まわりをチラチラ。

空《そら》を飛《と》んでいく魔女《まじょ》は、コチラを見《み》てクスクス笑《わら》っている…。おいしそうな草《くさ》を見《み》つけるとすぐに止《と》まってしまうベッドは、移動《いどう》には向《む》いていないのだ。歩《ある》いた方《ほう》が早《はや》い。

「こくるんも、ホウキに乗《の》れるようになったら？」

「は？　乗《の》れるし」

「ムー…乗《の》ってるの見《み》たことないけど」

「なによ！　あたしは、ベッドが楽《らく》なだけなの！　ホウキに乗《の》れないわけじゃないの！」

そして、こくるんは、道《みち》ばたに停《と》めてあったホウキを勝手《かって》に手《て》にとると、飛《と》び乗《の》った。

「ム？　だ、大丈夫《だいじょうぶ》？　こくるん」

「当《あ》たり前《まえ》、…わ！」

が、こくるんは、うまく乗《の》れずにホウキの柄《え》につかまって浮《う》いてしまった。

そして、そのまま、少《すこ》し浮《う》きながら進《すす》んでいくこくるんの姿《すがた》に、まわりの魔女《まじょ》たちは、ついに声《こえ》をあげて笑《わら》い出《だ》す。

「みてみて！　あれじゃ、歩《ある》いてるのと変《か》わらないじゃないっ」

そんなこくるんの横《よこ》を、猫《ねこ》さえもスタスタと追《お》いこしていく…。

「もー！　この！　うすのろホウキ！」

たまらずこくるんがおこると、ホウキは、どんどんスピードをあげ――、

「わ、わわ!!」

そしてホウキは、こくるんを天高《てんたか》くふっ飛《と》ばした。

飛《と》ばされたこくるんは、空高《そらたか》くに浮《う》かぶ巨大《きょだい》な遊覧船《ゆうらんせん》へとつっこんだ。

「ぎゃぁあー！」

そして、船《ふね》の帆《ほ》を突《つ》きやぶって、デッキに並《なら》ぶ屋台《やたい》をなぎたおしながら、落《お》ちた…。まわりの魔女《まじょ》たちは、もはや手《て》をたたいて大笑《おおわら》い。

「コラァ！」遊覧船《ゆうらんせん》の船長《せんちょう》は、カンカンだ。

「ほんっとホウキって、意地《いじ》が悪《わる》くて嫌《きら》い！」

家《いえ》にもどってきたボロボロのこくるんは、あむあむが持《も》ってきたシリアルをうばうと、おこりながらバリバリ食《た》べた。

「ム！　ボクのオヤツ！」

「コウモリなんだから、血《ち》でもすってればいいでしょう」

「ボクはそんな、やばんなコウモリじゃないの！」

ふたりは、シリアルを取《と》り合《あ》って、大《おお》ゲンカだ。

と、そこへ、「やめなさい！　みっともない！」

家《いえ》がふるえるほどの、おそろしい声《こえ》がひびいた。

「ひっ」「ムっ」

こくるんの姉《あね》・リリアンだ。

魔女服《まじょふく》をキチッと着《き》たリリアンは、とっても長《なが》い髪《かみ》の毛《け》を器用《きよう》に結《むす》びながらやって来《き》た。

「こくるん、あなた、きたないわよ？　お風呂《ふろ》に入《はい》ってきてちょうだい」

リリアンは魔法界《まほうかい》でもトップレベルの魔女《まじょ》で、こくるんとは正反対《せいはんたい》なのである。清《きよ》く、正《ただ》しく、強《つよ》く、魔女《まじょ》らしい。

今《いま》だって、流《なが》れるような手《て》つきで宙《ちゅう》に浮《う》くたくさんの手紙《てがみ》を確認《かくにん》すると、仕分《しわ》けをして、ブラシで服《ふく》のホコリを取《と》りながら、こくるんをしかっている。

「下着《したぎ》のままでウロウロしないで。魔女以前《まじょいぜん》の問題《もんだい》よ」

と、こくるんに魔女服《まじょふく》とバスタオルをわたすと、手紙《てがみ》の仕分《しわ》けを終《お》わらせて、ブラシをしまうと、今度《こんど》はぞうきんを取《と》り出《だ》して、土《つち》まみれのベッドのあしをふいていく。

「まったくもう、こんなにベッドをこき使《つか》って。はずかしいったらもう。ホウキくらい乗《の》れるようになりなさい」

ベッドはリリアンになついているようで、グルグルとうれしそうだ。

そしてリリアンは、最後《さいご》にグローブを手《て》につけると、さっそうとホウキに乗《の》りこみ、お仕事《しごと》へと出《で》かけていった。

リリアンは、まるで春《はる》の突風《とっぷう》だ。すずしい顔《かお》をして、ものすごい勢《いきお》いで飛《と》んでいく。

こくるんは、リリアンがどんなお仕事《しごと》をしているのか、いまいち知《し》らないけど、「お姉《ねえ》さんは本当《ほんとう》に立派《りっぱ》ね」とよく言《い》われる。リリアンが外《そと》を飛《と》べば、たいていの魔女《まじょ》はふり返《かえ》る。

だからまあ、きっと、リリアンは立派《りっぱ》なお仕事《しごと》をしているのだろう。けど……

「ほんっと、リリアンってていやな魔女《まじょ》！」

と、こくるんは「ふん！」と、二度寝《にどね》した。

気《き》づけばランチタイムだ。目覚《めざ》めたこくるんは、もう、はらぺこ。

「お腹《なか》すいた……」

見《み》ると、あむあむが大《おお》きなハンバーガーにかぶりついている。

「あ！　あむあむ、あたしのハンバーガーは？」

「ないよ。自分《じぶん》で買《か》ってくれば？」

「は！」

そしてあむあむは、食《た》べながら飛《と》ぶと、勝《か》ちほこったように、こくるんを見下《みお》ろして笑《わら》った。

「ムフフ、やーい、半人前魔女《はんにんまえまじょ》っ。こっこまで、おっいで～」

「もう！」


こくるんは、おこりながらキッチンへ来《く》ると食《た》べ物《もの》を探《さが》す。

「まったく、あむあむったら、どうしてあんなに生意気《なまいき》なのかしら！」

使《つか》い魔《ま》は、つかえている魔女《まじょ》に似《に》るというけれど、あれはウソだ。あむあむは、あたしには全然《ぜんぜん》似《に》てない。ほんっと、腹立《はらた》つ！

と、テーブルの上《うえ》に、大《おお》きくてきれいな箱《はこ》が置《お》いてあるのを見《み》つけた。

「なんだ？　これ」

こくるんが箱《はこ》を開《あ》けると、そこには――、

「わあ！」

真《ま》っ白《しろ》で大《おお》きなホールケーキがキラキラとかがやいている。カラフルな木《き》の実《み》がたくさんデコレーションされていて、なんとも、おいしそうだ…。

こくるんは、すいよせられるように、ケーキにフォークを入《い》れた。

「一口《ひとくち》、だけ」

と、食《た》べたが最後《さいご》、もう止《と》まらない。あむあむが、やって来《き》た時《とき》には、もうおそい。

「ム！」

こくるんは、ケーキを全《すべ》て食《た》べてしまった。

「なによ。あむあむの分《ぶん》なんか、ないわよ」

「それ、リリアンのケーキじゃ、ないの…？」

「え」

そこへ、リリアンの使《つか》い魔《ま》のフクロウ・ライトが飛《と》んできた。

「ムム！」と、あむあむは、とっさに、ケーキの箱《はこ》を、戸《と》だなへかくす。

「ど、どうしたの？　ライト」

第5着
ケーキバンにご注意を！

「な、なにか！　御用《ごよう》かしら！」

ライトは、汗《あせ》をふきふき、キッチンを見《み》わたす。

「ええ、こくるん様《さま》、あむあむ様《さま》、おいそがしいところ、大変《たいへん》に恐縮《きょうしゅく》なのでございますが、あのですね、ここにですね……ああっ。でもっ、これは私《わたし》の問題《もんだい》でして、おふたりに聞《き》くべき内容《ないよう》ではないと存《ぞん》じますが、」

「ム…いいってば」

ライトはいつもこうだ。腰《こし》がものすごく低《ひく》い。そしていつも頭《あたま》をペコペコと下《さ》げるので、フクロウのくせに、首《くび》が回《まわ》らなくなってしまったそうだ。

「ええ、それでは、お言葉《ことば》にあまえさせていただきまして…。あの、ここにですね、箱《はこ》が置《お》いてございませんでしたでしょうか？　ご存《ぞん》じなければよろしいのですが、リリアン様《さま》がホワイトラウンジで、ご注文《ちゅうもん》なさったケーキが、今《いま》しがた、魔法便《まほうびん》で届《とど》いたはずなのですがね」

こくるんの食《た》べたケーキは、やっぱり、リリアンのものだったのだ。

「な、な、なかった…よ。ね、ね？　そうだよね！　あむあむ」

「ム、ゥ…うん」

「…左様《さよう》ですか。ええ、左様《さよう》、ですか……。リリアン様《さま》がご自分《じぶん》へのごほうびにと、大変楽《たいへんたの》しみにされていたので、本日《ほんじつ》の夜《よる》までには届《とど》くと良《よ》いのですが……は！」

そして、コンパクトからリリアンに呼《よ》び出《だ》されたライトは、ペコペコとコンパクトに頭《あたま》を下《さ》げると「では、失礼致《しつれいいた》します」と、せわしなく飛《と》び去《さ》っていった。

「ムーー！　どうすんのさ！」

「ど、どうしよう…」

一大事《いちだいじ》だ。リリアンにケーキを食《た》べたことが知《し》られたら、それはそれはつ

第5着
ケーキバンにご注意を！

らいお仕置《しお》きが待《ま》っているだろう。

まず、魔女服《まじょふく》を着《き》せられて、ホウキの特訓《とっくん》から始《はじ》まり、呪文《じゅもん》の暗記《あんき》に、魔《ま》女《じょ》の心得《こころえ》の音読《おんどく》…。中《なか》でも一番最悪《いちばんさいあく》なのは、魔法学校《まほうがっこう》からやり直《なお》しさせられることだ。あそこは、この世《よ》で一番《いちばん》つまらない場所《ばしょ》である。あんなにつまらない場所《ばしょ》は、ニンゲン界《かい》にだってない。

1日《にち》でもいれば、身《み》も心《こころ》もカチカチにこおってしまう。

そして、こくるんと、あむあむは家《いえ》を飛《と》び出《で》て、高級《こうきゅう》スイーツ店《てん》・ホワイトラウンジにやって来《き》た。

ホワイトラウンジは、名《な》だたるトップ魔女《まじょ》や、有名人《ゆうめいじん》たちがこぞってやって来《く》るスイーツ店《てん》であり、交流《こうりゅう》の場《ば》だ。ここでお茶《ちゃ》を交《か》わした魔女《まじょ》たちは、流行《りゅうこう》している呪文《じゅもん》や、新《あたら》しくできた魔法《まほう》などの情報《じょうほう》を交換《こうかん》したり、仕事《しごと》のグチや、たわいのない世間話《せけんばなし》をしていく。

けれど、お金《かね》のないこくるんと、あむあむは店《みせ》には入《はい》らずに、勝手口《かってぐち》へとまわると、ここで働《はたら》く友人《ゆうじん》・コミミを呼《よ》び出《だ》した。

コミミとこくるんは、魔法学校《まほうがっこう》で同《おな》じ時間《じかん》を過《す》ごした友達《ともだち》なのである。

「なによ？　こくるん。私《わたし》いそがしーんだけど。今日《きょう》はケーキの予約《よやく》が10件《けん》、お茶会《ちゃかい》の予約《よやく》が50件《けん》も、」

「そんなことよりコミミ！　ケーキのレシピ教《おし》えて！　真《ま》っ白《しろ》で、木《き》の実《み》がたくさんのってて、おいしーやつ！」

「は？　レシピ？」

「そう。はやくはやくはやく！」

「無理《むり》」

「は！」「ム！」

「だって、レシピは教《おし》えちゃいけない決《き》まりだから」

「コミミが教《おし》えてくれないなら、あの事《こと》、バラすわよ！」

「あの事《こと》って、なによ…。だったら、私《わたし》だってこくるんの、とっておきの秘密《ひみつ》をバラすんだからね！」

「ああそう、いいんだ？」

「なに…」

「魔法学校《まほうがっこう》の校長《こうちょう》って、この店《みせ》のお得《とく》意様《いさま》なんでしょう？」

「そう、だけど」

「あたし知《し》ってるんだからね？　昔《むかし》、校長《こうちょう》を毛虫《けむし》に変《か》えたのはコミミだって」

「！」

「ム⁉　あれ、コミミだったの？　しばらく行方不明《ゆくえふめい》になってたよね…校《こう》長先生《ちょうせんせい》」

「んもう‼」

と、コミミは、厨房《ちゅうぼう》からレシピブックを持《も》ってくると、こくるんへ見《み》せた。

「ほら！　これが木《き》の実《み》のケーキのレシピ。まあ、こくるんには無理《むり》だと思《おも》うけどね。このケーキは材料集《ざいりょうあつ》めがとっても大変《たいへん》なの。まずは、天空《てんくう》のホイップクリームを、」

「おっけー！　天空《てんくう》のホイップね！」

と、最後《さいご》まで聞《き》かないでこくるんは、走《はし》りだした。

「あ、ちょっと！　こくるん！　まだ、」

第5着
ケーキバンにご注意を！

「レシピは、送《おく》っといて！　時間《じかん》がないの！」

　そうして、バタバタと去《さ》って行《い》くこくるんとあむあむを見《み》て、コミミは腕《うで》を組《く》む。

「あやしい」

　こくるんがスイーツ作《づく》りなんて…もしや…。と、コミミが、今日《きょう》のケーキお届《とど》け表《ひょう》をめくってみると、そこには『リリアン様《さま》、木《き》の実《み》のケーキ：1』とある。

「やっぱり！」

　そして、コミミはすかさず、コンパクトを取《と》り出《だ》すと、リリアンへと連絡《れんらく》した。

「あ、リリアンさん？　ホワイトラウンジのコミミです。木《き》の実《み》のケーキ、届《とど》いてますか？」

一方《いっぽう》のこくるんは、家《いえ》の倉庫《そうこ》からホコリまみれのホウキを取《と》り出《だ》すと、またがった。

「よおし！　天空《てんくう》のホイップをとりに、出発《しゅっぱつ》！」

「ム？　どこに？」

「そりゃ…どこだろ？」

そして、ホウキはクルンとまわると、こくるんを落《お》とした。

「いったぁ！　なによ！」

すると、ホウキは、こくるんのお尻《しり》をたたいて、勝手《かって》に飛《と》んで行《い》ってしまった…。

そこへかわりに飛《と》んできたのは、トイレットペーパーみたいなロール紙《し》と、ペンだ。

「…まったく、コミミったら、おそいじゃない」

ロール紙《し》はクルクルと紙《かみ》を出《だ》すと、ペンがなにやら紙《かみ》に書《か》いていく。これは、コミミからの魔法便《まほうびん》だ。ペンはどんどんとケーキの材料《ざいりょう》をリストにして書《か》いていく。

そしてペンは、材料《ざいりょう》を全部《ぜんぶ》書《か》き終《お》わると、紙《かみ》を切《き》って、あむあむにわたし、今度《こんど》はズラズラとレシピを書《か》き、最後《さいご》には『こくるんへ』と、こくるんをつついて、コミミからの伝言《でんごん》を書《か》き加《くわ》えた。

『これでレシピを教《おし》えたからね！　私《わたし》の秘密《ひみつ》、バラすなよ！』

そして、「はいはい」と、こくるんはレシピを見《み》もせずに、ポケットに紙《かみ》をつっこんだ。

「じゃ、まずは材料集《ざいりょうあつ》めね！　あむあむ、案内《あんない》よろしく！」

最初《さいしょ》の材料《ざいりょう》は、天空《てんくう》のホイップクリームだ。

あむあむは、材料《ざいりょう》リストを読《よ》んでいく。リストには、『天空《てんくう》のホイップクリーム：バケツ一杯《いっぱい》。収穫場所《しゅうかくばしょ》：雲《くも》の上《うえ》の湖《みずうみ》。収穫方法《しゅうかくほうほう》：ホイップの湖《みずうみ》をステッキでかき回《まわ》し、バケツに入《い》れ、フタをしめる。※ガスぬき必須《ひっす》』とのこと。

「ムムム…クリームは雲《くも》の上《うえ》にあるんだって。どーする？　どーする？」

「どーするって、あむあむが行《い》くしかないじゃない」

「なに言《い》ってるのさっ。ボクは魔《ま》女《じょ》じゃないんだよ？　ステッキは使《つか》えないよ」

なのに、こくるんは、「だいじょーぶだいじょーぶ」とステッキをあむあむにわたすと、「行《い》ってらっしゃい！」と手《て》をふった。

しょうがないので、あむあむは、ホイップの湖《みずうみ》まで飛《と》んでいくと、口《くち》にくわえたステッキで湖《みずうみ》をかき回《まわ》す。

すると、湖《みずうみ》はブクブクとあわ立《だ》ち、たちまちに白《しろ》くてフワフワのホイップクリームが完成《かんせい》。「ム、すごーい！」

と、口《くち》を開《あ》けたあむあむは、くわえていたステッキを落《お》としてしまった。

「あ……」

そして、ステッキは、湖《みずうみ》の底《そこ》に穴《あな》を開《あ》け、クリームは地上《ちじょう》へ――、
ドボドボドボ！

「え？」

雲《くも》から流《なが》れ落《お》ちてくるクリームを、こくるんが見上《みあ》げた。と、同時《どうじ》にクリームはこくるんへと降《ふ》り注《そそ》ぐと、辺《あた》り一面《いちめん》、ホイップクリームの山《やま》みたいになってしまった。

あわててもどってきたあむあむは、ぼう然《ぜん》。

「ムー！　こくるん！」

「……あむあむ」

「ム！」

第5着
ケーキバンにご注意を！

真っ白《ま》《しろ》になったこくるんが、山《やま》から這《は》い上《あ》がってきた…。

「あむあむの、ばか!!」

「ムゥ…もう！　ボク知《し》らないっ」

クリームまみれのこくるんと、クリームを入《い》れたバケツを重《おも》そうに持《も》つあむあむは、大《おお》きな木《き》を見上《みあ》げる。

ここは、魔法《まほう》の森《もり》。

次《つぎ》の材料《ざいりょう》は、透《す》き通《とお》るシュガーの実《み》だ。

『透《す》き通《とお》るシュガーの実《み》：10個《こ》。収穫場所《しゅうかくばしょ》：シュガーの大木《たいぼく》。収穫方法《しゅうかくほうほう》：実《み》が透明《とうめい》のため、現《あらわ》しの呪文《じゅもん》を使用《しよう》』とのこと。

「従順《じゅうじゅん》なるステッキよ、姿《すがた》を見《み》せたまえ！」

こくるんは、クリームまみれのステッキをふって、シュガーの大木《たいぼく》に呪文《じゅもん》をとなえているけど、木《き》の実《み》は透明《とうめい》のままで見《み》えない。

「もう！　従順《じゅうじゅん》なる！　ステッキよ！　姿《すがた》を見《み》せやがれ！」

すると、ハチのような透明《とうめい》な虫《むし》の大群《たいぐん》が姿《すがた》を現《あらわ》した。

「ひ！」「ムゥ！」

魔法界《まほうかい》には、透明《とうめい》の生《い》き物《もの》もたくさんいるのだ。特《とく》に透明《とうめい》な虫《むし》は、姿《すがた》を見《み》たものを刺《さ》す。

こくるんと、あむあむは、刺《さ》されて、顔《かお》も足《あし》も手《て》も、ボコボコにはれてしまった。しかも、ものすごくかゆい。

「かゆかゆかゆ！　あむあむ、薬《くすり》とかないの！」

「ないよ！　ムウウウ！　かゆいー！」

「もー！　こうなれば！」こくるんは、あむあむの持《も》つバケツからクリームを手《て》にとると、木《き》に投《な》げつけた。

「ム！　なにするのさ！」

すると、透明《とうめい》な実《み》がホイップによって真《ま》っ白《しろ》に姿《すがた》を現《あらわ》した。

「あたしってば、天才《てんさい》！」

「ムー…こんなことして、いいの？」

「じゃあ他《ほか》にどーするのよ」

そうして、こくるんは手当《てあた》り次第《しだい》にホイップを投《な》げて、あむあむがそれを収穫《しゅうかく》していくと、なんとかシュガーの実《み》は手《て》に入《はい》った。けれど、クリームの入《はい》っているバケツが突然《とつぜん》、浮《う》き出《だ》した。

「ム⁉」

「なによこれっ」

天空《てんくう》のホイップクリームはガスぬきしないまま放置《ほうち》すると、雲《くも》にもどろうと浮《う》いてしまうのである。

第5着
ケーキバンにご注意を！

「ガスぬきってどーすんのよ！」

「わかんないよ！」

そして、こくるんとあむあむは、バケツにつかまりながら、フワフワと帰《かえ》っていった…。


家《いえ》にもどって来《き》たふたりは、もうグッタリ。

とりあえず、あむあむは、クリーム入《い》りのバケツが浮《う》かないようにキッチンの柱《はしら》にしばりつけると、材料《ざいりょう》リストを読《よ》んでいく。最後《さいご》の材料《ざいりょう》は、恐竜《きょうりゅう》トリの卵《たまご》だ。

『恐竜《きょうりゅう》トリの卵《たまご》：2個《こ》。収穫場所《しゅうかくばしょ》：不明《ふめい》。収穫方法《しゅうかくほうほう》：不明《ふめい》。※マーケット、または、専門魔女《せんもんまじょ》から入手《にゅうしゅ》』とのこと。

けれど、こくるんとあむあむは、これならよく知《し》っている。

「こんなの、簡単《かんたん》！」

「ム、エミリの学校《がっこう》だね！」

そこでこくるんは、家《いえ》の地下《ちか》へと行《い》くと、パフューマーの氷庫《ひょうこ》へとやって来《き》た。

ここには、パフューマーの空《あ》き瓶《びん》や、今《いま》までにこくるんが変身《へんしん》したお客様《きゃくさま》の香水《こうすい》が保管《ほかん》されているのだ。こくるんは白《しろ》い息《いき》を吐《は》きながら、たくさんの瓶《びん》をカランカランとかきわけて探《さが》していく。

「エミリ、エミリはー…っと、これかな？」

と、パフューマーについた白《しろ》い霜《しも》をキュッキュと指《ゆび》でふき、光《ひかり》にかざすと、青緑色《あおみどりいろ》の香水《こうすい》がキラキラとこくるんを照《て》らした。

「これだ！」

第5着
ケーキバンにご注意を！

「ケケッコ…？」

恐竜《きょうりゅう》トリたちは、ボコボコ顔《がお》のエミリに変身《へんしん》したこくるんを、不審《ふしん》そうに見《み》つめる。

エミリは、こくるんの最初《さいしょ》のお客様《きゃくさま》で、この恐竜《きょうりゅう》トリは、エミリの小学校《しょうがっこう》で飼《か》われているニワトリを、こくるんが恐竜《きょうりゅう》トリに変身《へんしん》させてしまったのである。それ以来《いらい》、恐竜《きょうりゅう》トリたちは、こくるんをママみたいに思《おも》っている。はず、だけど…。

「みんなー！　元気《げんき》にしてたかい！」

と、両手《りょうて》を広《ひろ》げて笑《わら》うこくるんに、恐竜《きょうりゅう》トリたちは、するどいクチバシを向《む》けた。

「へ？」「ム？」

「ケケッコー！」

恐竜《きょうりゅう》トリたちは、見知《みし》らぬボコボコ顔《かお》のこくるんとあむあむを追《お》い出《だ》そうと大《おお》さわぎだ。

そこへ、鳴《な》き声《ごえ》を聞《き》きつけた、エミリのクラス担任《たんにん》・鶴田先生《つるたせんせい》がやって来《き》た。

「エミリさん…ですよね？　なにをしてるのですか」

鶴田先生《つるたせんせい》は、あいかわらず、スキンヘッドに血管《けっかん》を浮《う》きあがらせて、鬼《おに》の形相《ぎょうそう》だ。

「ひぇ！」「ムゥ！」

こくるんと、あむあむは、怒《いか》りくるう恐竜《きょうりゅう》トリたちから「もらうね」と、卵《たまご》を2個《こ》ポケットに入《い》れると、学校《がっこう》を飛《と》び出《だ》した。

「待《ま》ちなさい！」

「ケケッコ！」

第5着
ケーキバンにご注意を！

そこへ、そうじをしに本物《ほんもの》のエミリがやって来《き》た。

「…え、私《わたし》…？　あ!!　こくるん！　なんでこんな所《ところ》にいるの！」

けれど、こくるんはエミリを素通《すどお》りして手《て》をあげた。

「あとよろしく！　エミリ！」

「ムム、ごめんよ！　エミリ！　またね！」

と、こくるんと、あむあむは、去《さ》っていく…。

そこへ、険《けわ》しい顔《かお》をした鶴田先生《つるたせんせい》がやって来《き》た。

「エミリさん、卵《たまご》ドロボーはダメですよ」

「え？」

「職員室《しょくいんしつ》に来《き》なさい！」

「もー!!　こくるん！　今度《こんど》はなにしたの！」

一方《いっぽう》のこくるんは、お風呂《ふろ》に入《はい》って変身《へんしん》の魔法《まほう》もよごれも落《お》とすと、さっそくケーキづくりにとりかかる。

「ムー！　いっそげー！」

「おっけー！」

こくるんは、大急《おおいそ》ぎで、家《いえ》にあった小麦粉《こむぎこ》とミルクと砂糖《さとう》を、そのへんにあった大《おお》きなどんぶりに入《い》れると、恐竜《きょうりゅう》トリの卵《たまご》も割《わ》って入《い》れて、あわ立《だ》て

第5着
ケーキバンにご注意を！

器《き》でガチャガチャとまぜると、それを、オーブンへ。

そしてスポンジを焼《や》いている間《あいだ》に、透《す》き通《とお》るシュガーの実《み》を洗《あら》い、また透《とう》明《めい》になってしまった実《み》の皮《かわ》を手《て》さぐりでむいていき、スポンジが焼《や》けると、それを3段《だん》にわけて切《き》り、飛《と》んでいきそうなクリームをなんとか、ぬりたくって重《かさ》ねると、表面《ひょうめん》にもクリームをぬり、透《す》き通《とお》るシュガーの実《み》をトッピングした。

「よし！」

ケーキはなんとか完成《かんせい》！　けれど…見《み》た目《め》は、こくるんの食《た》べたケーキとはちがう。シュガーの実《み》が透明《とうめい》のままなので、なんだか、まんまるのモチみたいである。しかも、プカプカと少《すこ》しだけ浮《う》いている。

「ム…大丈夫《だいじょうぶ》かな、これ」

「だいじょーぶだいじょーぶ！　心配《しんぱい》なら味見《あじみ》してみたら？」

「じゃあ、少《すこ》し」と、あむあむは、ケーキを少《すこ》しだけかじる。

「ム…？」

あまくてフワフワで、おいしい。けど、なんだか今《いま》、少《すこ》しだけピリッとしたような…？


そこへリリアンとライトが帰《かえ》ってきた。

「ムっ」

「お、おかえり…リリアン！」

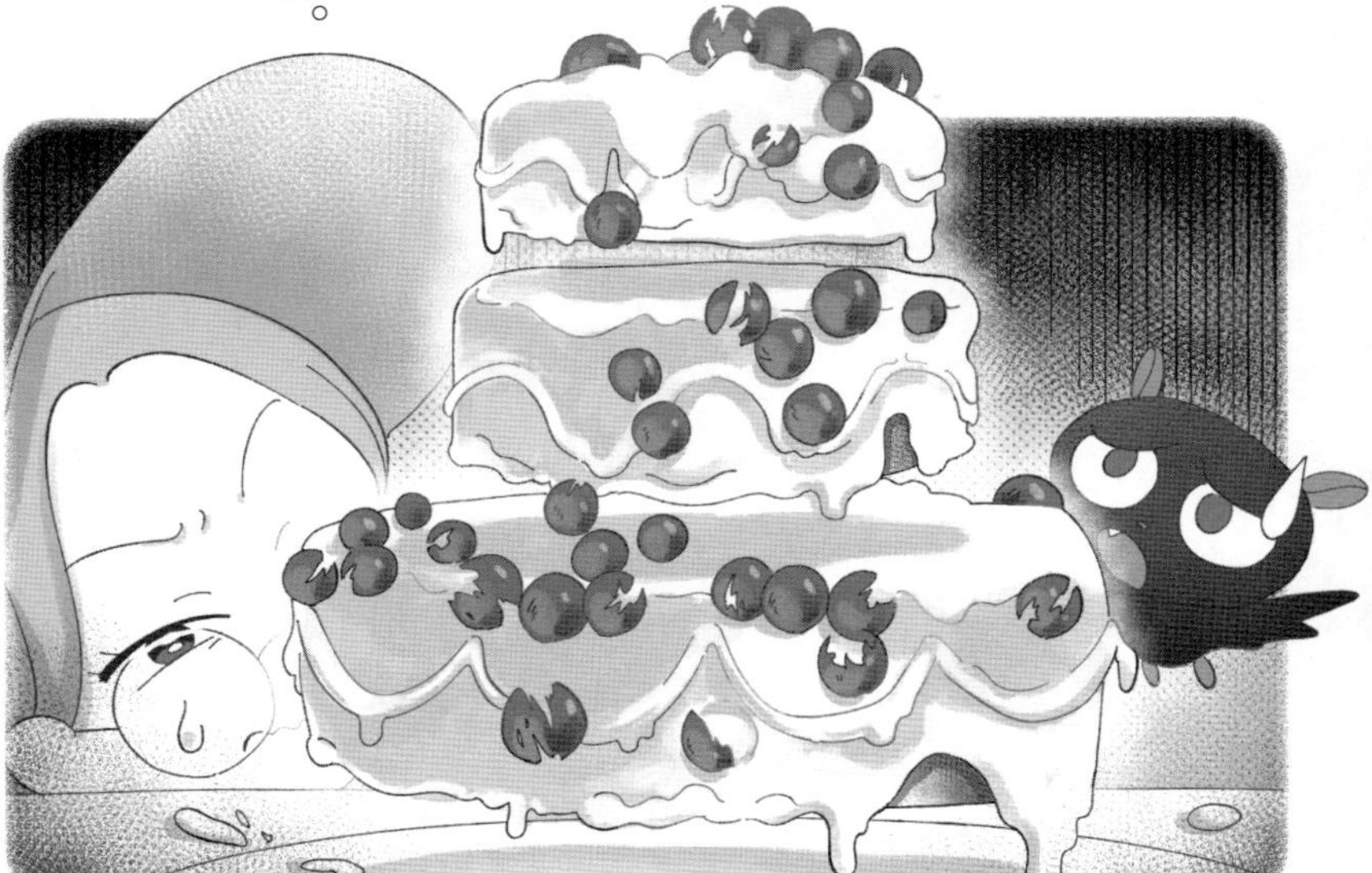

ふたりは、また冷《ひ》や汗《あせ》が止《と》まらない。

帰《かえ》ってきたリリアンは、ケーキを、まじまじと見《み》つめた。

「ム、ど、どうしたの、リリアン？」

「な、なにか、変《へん》？」

「…いいえ。ただいま」リリアンはケーキを切《き》りわけていく。

こくるんと、あむあむは、ひと息《いき》。なんとかうまくいきそうだ。

「さ、お茶《ちゃ》にしましょう。ふたりもケーキを食《た》べていいわよ」

リリアンは、お皿《さら》に大《おお》きく切《き》り分《わ》けたケーキを、こくるんとあむあむに差《さ》し出《だ》した。

「ム、こんなに…いいの？　リリアン」

「わーい！　もうあたし、お腹《なか》ペッコペコ！」

そして、こくるんとあむあむが、ケーキを口《くち》に入《い》れると、リリアンは冷《つめ》た

く笑《わら》う。

「ただし、ケーキバンにご注意《ちゅうい》を」

「え?」「ム?」

そして、

「リリアンさんー? 新《あたら》しいケーキお持《も》ちしました!」

と、箱《はこ》をかかえたコミミが、キッチンへと
やって来《く》ると——、

「バン!!」

こくるんと、あむあむの口《くち》からは煙《けむり》があがった…。髪《かみ》の毛《け》はチリチリだ。

「やっぱり…」

コミミはあきれ顔《がお》だ。

こくるんと、あむあむの口《くち》の中《なか》で、ケーキが爆発《ばくはつ》したのだ。

「こくるん、リリアンさんのケーキ、食《た》べちゃったんでしょ？　で、かわりにデタラメに作《つく》ったのよね？」

そして、コミミは、こくるんのケーキにステッキを向《む》けてとなえる。

「従順《じゅうじゅん》なるステッキよ、姿《すがた》を見《み》せよ」

すると、シュガーの実《み》はやっと姿《すがた》を現《あらわ》したけれど、手《て》さぐりでむいた実《み》には、ところどころ皮《かわ》が残《のこ》っている。

「ほら、レシピをちゃんと読《よ》まないから、こーなるのよ」

と、コミミはこくるんのポケットの中《なか》からレシピを取《と》り出《だ》して、注意書《ちゅういが》きを指《ゆび》さした。

『※シュガーの実《み》の皮《かわ》は、うす皮一枚《かわいちまい》までしっかりとむかないと、ケーキバンになるおそれがあるので、ご注意《ちゅうい》を』とのこと。

こくるんは、煙《けむり》をはきながら、「そんな…」と泣《な》き顔《がお》。

あむあむは、「うわーん！」と大泣《おおな》きだ。

コミミは、「どうぞ」と、新《あたら》しいケーキをリリアンにわたすと、こくるんに笑《わら》う。

「このケーキ、こくるんのツケだからね？　次《つぎ》からはウソをつかないことだね」

そして、リリアンは新《あたら》しいケーキを一口《ひとくち》食《た》べると、こくるんにも差《さ》し出《だ》した。

「あなたたちも食《た》べる？」

「ぎゃっ」「ムッ」

と、こくるんとあむあむは、ケーキからにげ出《だ》す。

「もう、ケーキなんか見《み》たくない！」

そして、ケーキの箱《はこ》を捨《す》てようとしたリリアンは、ゴミ箱《ばこ》の中《なか》にある、卵《たまご》のカラを、つまんで見《み》つめた。

「あら、これ…って」

それは、恐竜《きょうりゅう》トリの卵《たまご》のカラだ。

リリアンは首《くび》をひねる。このケーキの材料《ざいりょう》の中《なか》で一番《いちばん》、収穫《しゅうかく》がむずかしいといわれている恐竜《きょうりゅう》トリの卵《たまご》なんて、こくるんはどこで手《て》に入《い》れたのだろうか…？　多《おお》くの魔女《まじょ》パティシエは、自分《じぶん》では手《て》に入《い》れることがむずかしいので、専門魔女《せんもんまじょ》から高《たか》いお金《かね》を払《はら》って買《か》いつけているというのに。

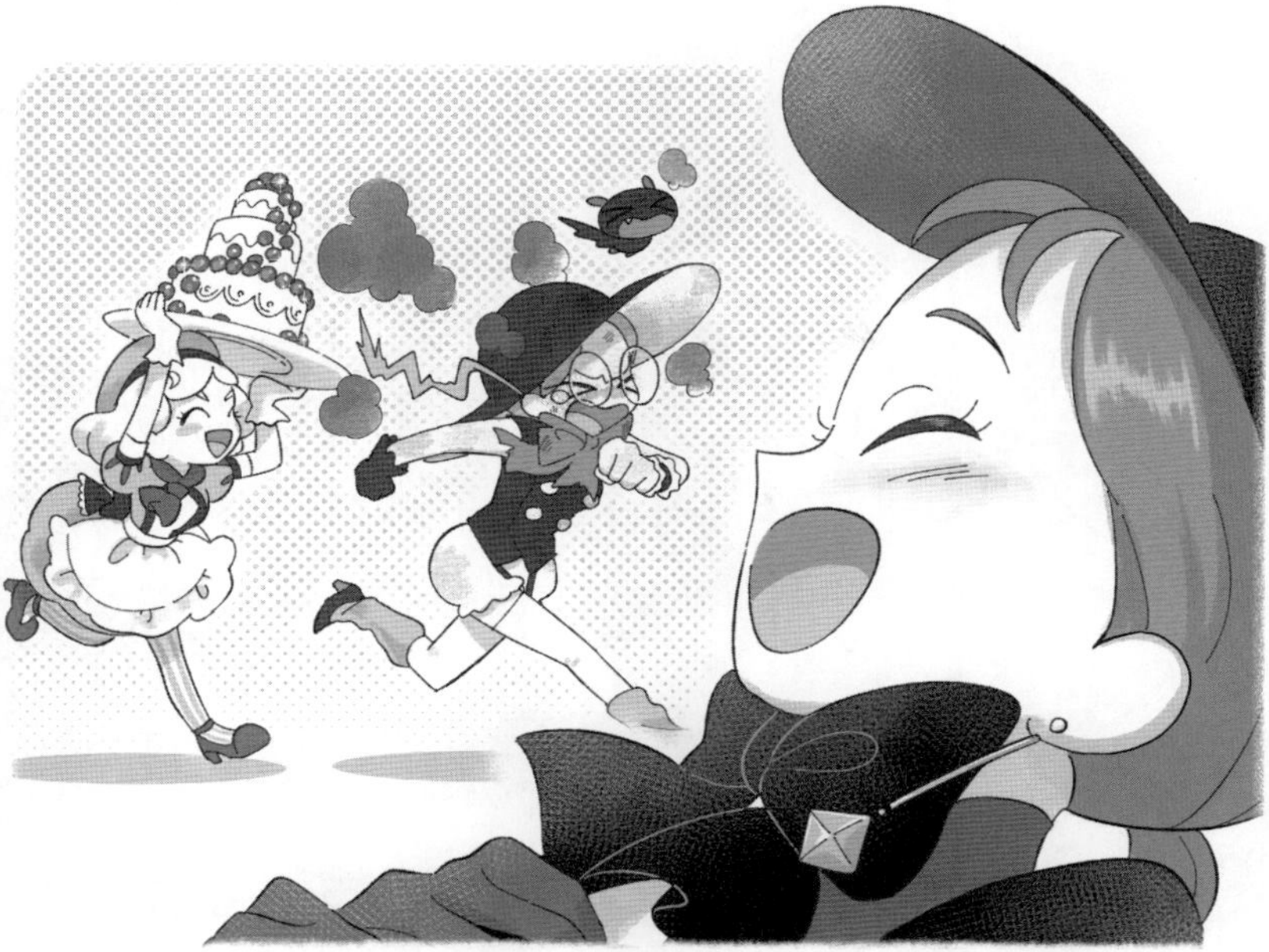

この、卵《たまご》1つでケーキなんかは、何《なん》個《こ》も買《か》えてしまうくらいだ。

「ほんと、へんな子《こ》」

と、こくるんを見《み》た。

こくるんは、ケーキを手《て》にしたコミミに追《お》いかけられている。

「ホレホレ！　こくるんー！　ケーキだぞぉー！」

「ひいー！　コミミやめてってばー！」

「ムー！」

にげまわるこくるんとあむあむに、リリアンは大笑《おおわら》いだ。

第《だい》6着《ちゃく》

大《おお》島《しま》屋《や》百《ひゃっ》貨《か》店《てん》へようこそ

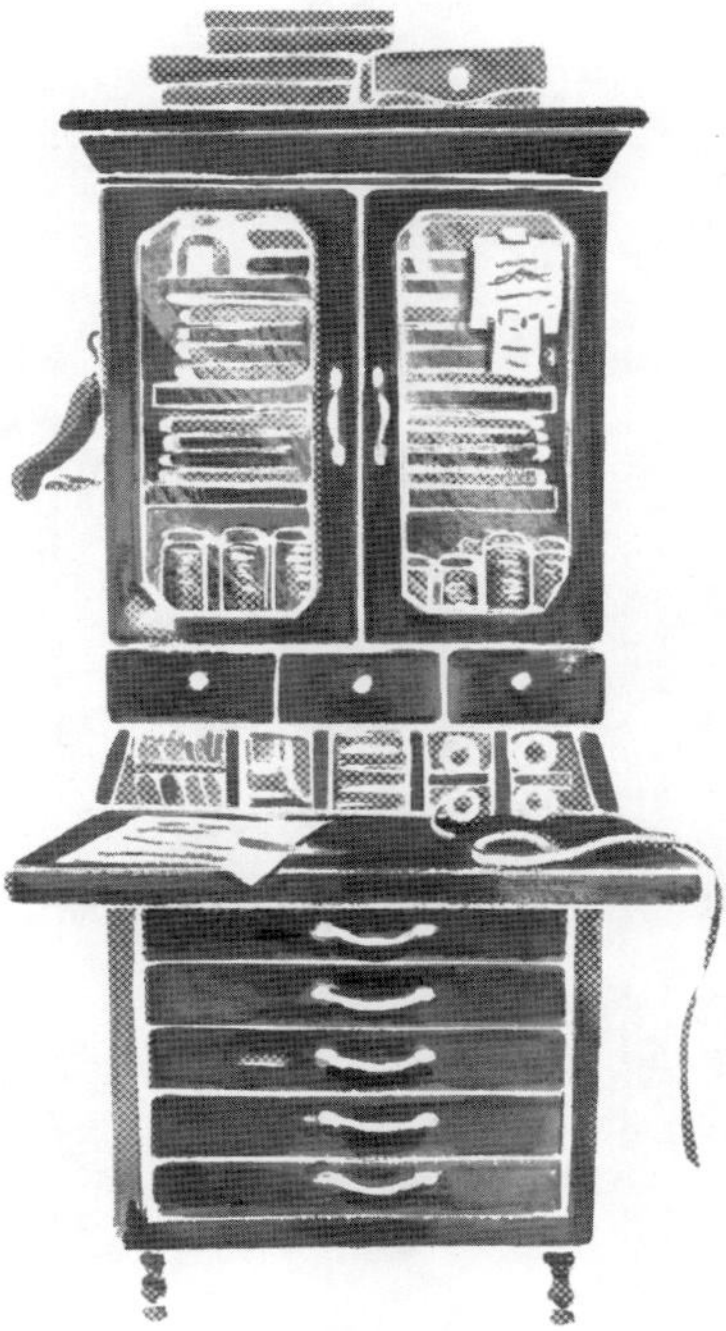

僕《ぼく》はこの、静《しず》かな夜《よる》のデパートが好《す》きだ。と、三木《みき》は思《おも》う。

昼間《ひるま》はさわがしくて、にぎやかだったデパートも、お客《きゃく》さんや、店員《てんいん》さんが帰《かえ》ってしまった後《あと》は、まるで別《べつ》の場所《しょ》みたいに静《しず》かで、真《ま》っ暗《くら》で、耳《みみ》がキーンとする。

そして三木《みき》は、針《はり》に糸《いと》を通《とお》すと、ミシンを動《うご》かした。今日《きょう》も残業《ざんぎょう》だ。

「カタカタカタ…」と、夜《よる》のデパートにミシンの音《おと》だけがひびく――。

第6着
大島屋百貨店へようこそ

ここは、ニンゲン界《かい》のデパート『大島屋百貨店《おおしまやひゃっかてん》』。

三木《みき》は、このデパートの婦人服売《ふじんふくう》り場《ば》をぬけた先《さき》の、階段横《かいだんよこ》にある小《ちい》さな『お直《なお》しカウンター』で、ひとりで、働《はたら》いている。このお店《みせ》は、他《ほか》のお店《みせ》に比《くら》べると小《ちい》さくて地味《じみ》で目立《めだ》たないけれど、服《ふく》のことならなんでもたのめる、服《ふく》のなんでも屋《や》さんだ。

たとえば、少《すこ》し長《なが》いズボンを短《みじか》くしたり、ウエストのきついスカートを大《おお》きくしたり、とれてしまったボタンをぬいつけたり、あきてしまったシャツをバッグに作《つく》り直《なお》すことだって、できる。

それに、三木《みき》は、たのまれていないのに、ボタンがとれかかっていたら、ていねいにぬいつけておくし、お客《きゃく》さんの子《こ》どもが持《も》っていたぬいぐるみが、ほつれていたら、ぬいなおして、綿《わた》まで入《い》れておく。しかも、そーゆーことは、全部《ぜんぶ》タダで引《ひ》き受《う》けてしまうので、三木《みき》は毎日《まいにち》、残業《ざんぎょう》になってしまうのだ。

そうして今日《きょう》も、三木《みき》はそんなカウンターの奥《おく》にある作業場《さぎょうば》で、生地《きじ》や糸《いと》に、うもれながら朝《あさ》から夜《よる》まで…へたしたら、次《つぎ》の日《ひ》の朝《あさ》まで針《はり》やミシンを動《うご》かしているのである。

そこへ、警備員《けいびいん》のおじさんが缶《かん》コーヒーを2つ、手《て》にしてやって来《き》た。

「よっす、三木《みき》くん。今日《きょう》もやってるねぇ」

「おつかれさまです」

と、コーヒーを警備員《けいびいん》さんとするのが、三木《みき》のいつもの日課《にっか》だ。

そして警備員《けいびいん》さんはポケットから、なにやら紙《かみ》を取《と》り出《だ》して、三木《みき》へわたした。

「なんですか？　これ」

「ふってきたんだよ、屋上《おくじょう》に」

それは、こくるんと、あむあむがバラまいたチラシだ。どうやら、このデパートの屋上《おくじょう》にまとまって落《お》としてしまったらしい。警備員《けいびいん》さんは、チラシを何枚《なんまい》も束《たば》で持《も》って笑《わら》っている。

「おもしろいぞ、このチラシ」

真《ま》っ白《しろ》な紙《かみ》にみえる、そのチラシは、よく目《め》をこらすとクルクルと踊《おど》るこくるんが見《み》えてくる。そして、三木《みき》が、さらによく見《み》ると、大音量《だいおんりょう》の音楽《おんがく》とともにこくるんの声《こえ》がひびきわたった――。

「わっ」

「告白代行《こくはくだいこう》なら、クローゼットの魔女《まじょ》！　こくるんにおまかせ！」

「…なにこれっ」

「な。クローゼットから魔女《まじょ》が来《き》て、変身《へんしん》して代《か》わりに告白《こくはく》してくれるんだってよ。本当《ほんとう》かどうかわかんねーけどさ、こんなチラシって見《み》たことないだろ？　だから俺《おれ》は、魔法《まほう》って、あるんじゃねぇかなって思《おも》うんだよ。な？　この魔女《まじょ》に、社長《しゃちょう》に告白《こくはく》してもらえば？」

「え、社長《しゃちょう》に？　いやいや、でも僕《ぼく》、社長《しゃちょう》としゃべったこともないし…」

「だから魔女《まじょ》にたのむんだよ。三木《みき》くん、いっつも、社長《しゃちょう》としゃべりたそうにしてるだろ。顔真《かおま》っ赤《か》にしてさ」

「ま、まあ、そうですけど…」

「じゃあ告白《こくはく》してもらっちゃえよ」

「いやぁ」

そう言《い》って煮《に》え切《き》らない三木《みき》の背中《せなか》を、警備員《けいびいん》さんはたたいた。

「恋《こい》は先手必勝《せんてひっしょう》だぞ！　じゃ、またな！」

そして、仕事《しごと》にもどった警備員《けいびいん》さんを見送《みおく》った三木《みき》は、チラシを手《て》にして、クローゼットの扉《とびら》を見《み》つめた。

クローゼットと言《い》っても、お直《なお》しカウンターの作業場《さぎょうば》にある、材料倉庫《ざいりょうそうこ》の扉《とびら》の前《まえ》だ。

ここには、どんな服《ふく》のお直《なお》しもできるように、ありとあらゆる生地《きじ》がロールで100本以上《ぼんいじょう》は並《なら》んでいて、糸《いと》、型紙《かたがみ》、染料《せんりょう》、ボタン、金具《かなぐ》などの材料《ざいりょう》も、ぎっしりとつまっている。

「恋《こい》は先手必勝《せんてひっしょう》か…」けど、魔女《まじょ》なんて本当《ほんとう》にいるのだろうか。本当《ほんとう》に、魔《ま》法《ほう》なんてあるのだろうか。

「…クローゼットの魔女《まじょ》さま、クローゼットの魔女《まじょ》さま、」

「どうか、僕《ぼく》のもとに」

そうして三木《みき》は、扉《とびら》をノックした。

「コン、コン、コン、コン」

「……」

けれど、いくら待《ま》っても魔女《まじょ》は来《こ》ない。もう一度《いちど》ノックしても、やっぱり来《こ》ない。

フっと三木《みき》は自分《じぶん》を笑《わら》った。

「ほら、やっぱり、こんなのウソに決《き》まってる」

と、三木《みき》がチラシを丸《まる》めて捨《す》てようとした、その時《とき》、
チラシが三木《みき》の手《て》を、ひっぱった。

「わ！　なに!?」

そして、チラシは三木《みき》の手《て》をつかんだまま、扉《とびら》をノックした。

「コン、コココンッ」

「こんにちわ！　こんばんわ！　おはよう！　あたしはクローゼットの魔《ま》女《じょ》！　こくるん！」

「う、うそ…！」

「なによ、うそじゃないわよ」

三木《みき》は、自分《じぶん》のほおをつねってみるけど、いたい。夢《ゆめ》じゃない。本当《ほんとう》の本《ほん》当《とう》に、魔女《まじょ》が来《き》たのだ。魔法《まほう》は、あるのだ――。

三木《みき》は、このデパートの社長《しゃちょう》・七海《ななみ》が大好《だいす》きで「話《はな》してみたい」という。けれど、その一歩《いっぽ》がふみ出《だ》せない。

七海《ななみ》は三木《みき》の3歳上《さいうえ》で、27歳《さい》という若《わか》さで社長《しゃちょう》を務《つと》める
すごい人《ひと》なのに、だれとでも同《おな》じように仲《なか》が良《よ》いし、
たくさん笑《わら》う。服《ふく》や小物《こもの》のセンスも抜群《ばつぐん》で、
七海《ななみ》のコーディネートをそのままほしい
というお客《きゃく》さんもいるほどだ。

そして七海《ななみ》は、三木《みき》に「おつかれ
様《さま》！」とか「おはよう！　三木《みき》くん」
とか、いつでも明《あか》るく、あいさつを
してくれる。

けれど三木《みき》は、そんな七海《ななみ》に、
あいさつを返《かえ》すのだけで精一杯《せいいっぱい》だ。
「本当《ほんとう》は服《ふく》のこととか、もっと

いろいろ話《はな》してみたいんだけど…なかなか…ね」

と、三木《みき》は、こくるんにお直《なお》しをたのまれた靴下《くつした》の穴《あな》をていねいにぬいながら、はずかしそうに話《はな》していく。

「なんかもう、七海《ななみ》さんがまぶしすぎてさ、直視《ちょくし》できなくって…」

そして三木《みき》は、見事《みごと》に穴《あな》のふさがった靴下《くつした》を、こくるんにわたした。

「はい、できあがり」

「わぁ!」「ムム!」

こくるんの靴下《くつした》にあいた大《おお》きな穴《あな》は、もう、まったく目立《めだ》たない。それどころか、さりげなく花柄《はながら》のししゅうのようにぬわれていて、かわいい。

「すごい! 前《まえ》より、よくなってる!」

「これ、ダーニングっていうんだ。普段《ふだん》はあんまりやらないけど、この靴下《くつした》ならかわいいかなって」

「さいこー！」

そして、こくるんは靴下《くつした》をはくと、ここぞとばかりに、身《み》につけていた帽《ぼう》子《し》も、コルセットもぬいで、次々《つぎつぎ》と三木《みき》に差《さ》し出《だ》しては、「帽子《ぼうし》のツバが折《お》れちゃったの」とか、「ここのリボンが色《いろ》あせちゃって」とか、「ヒモがのびてるみたいなの」などと、注文《ちゅうもん》を入《い》れて、直《なお》してもらっていく。

その度《たび》に三木《みき》は、まるで針《はり》を生《い》き物《もの》みたいに動《うご》かす。

こくるんは、その三木《みき》の手元《てもと》に見入《みい》ってしまう。針《はり》に魔法《まほう》でもかかっているのではないかと思《おも》ってしまったほどだ。キラキラと海《うみ》を泳《およ》ぐ魚《さかな》みたいに、針《はり》は布《ぬの》をぬっていき、裁《た》ちバサミは、イルカ

みたいに、まっすぐに、サーッと布《ぬの》を、きっていく。

気《き》づけば、こくるんのヨレヨレの服《ふく》たちは、たちまちに、ピッカピカだ。

「ミキって魔女《まじょ》みたい！」

こくるんは、大感激《だいかんげき》。今度《こんど》は、かぼちゃパンツさえもぬいでわたそうとするので、あむあむが止《と》めた。

「ムー！　もう終《お》わり！　こくるんも、お仕事《しごと》してよ！」


そして三木《みき》は、「こ、こう…？」と、耳《みみ》を赤《あか》くしながら口《くち》に手《て》をあてると、パフューマーへチュッと投《な》げキッスをして、フーッと、息《いき》をふきかけた。

すると、パフューマーは、真《ま》っ赤《か》にかがやく。

真《ま》っ赤《か》にてらされた三木《みき》は、なんとなく、なつかしい気持《きも》ちだ。でも、なぜだか、ちょっと、さみしい。不思議《ふしぎ》な色《いろ》である。

「よし！　完成《かんせい》！」

そして、香水《こうすい》を自分《じぶん》へとふきかけたこくるんは、色《いろ》とりどりの駄菓子《だがし》みたいな、ワクワクする香《かお》りを体《からだ》いっぱいにすいこんで、鼻歌《はなうた》まじりの呪文《じゅもん》をとなえる。

「どれどれ♪　どれどれ♪」

「ドレスアップ！」


そして、作業着《さぎょうぎ》の三木《みき》に変身《へんしん》したこくるんは、「もっとステキな服《ふく》をえらばなくっちゃ！」と、三木《みき》といっしょに、閉店後《へいてんご》のデパートを歩《ある》く。

「うわー！　夢《ゆめ》みたい！」

こくるんは、ニンゲン界《かい》のデパートに大《おお》はしゃぎだ。

だって大島屋百貨店《おおしまやひゃっかてん》には、魔法界《まほうかい》にはないものが、なんだって売《う》っている。

第6着
大島屋百貨店へようこそ

エントランスを入《はい》った1階《かい》は、アクセサリー売《う》り場《ば》と化粧品《けしょうひん》売《う》り場《ば》。2階《かい》には高級感《こうきゅうかん》のある紳士服《しんしふく》売《う》り場《ば》。3階《かい》は、にぎやかな婦人服《ふじんふく》や雑貨《ざっか》売《う》り場《ば》。5階《かい》は、インテリアや寝具《しんぐ》売《う》り場《ば》。6階《かい》のオモチャ売《う》り場《ば》には、カフェや室内遊園地《しつないゆうえんち》まであるし、7階《かい》には見晴《みは》らしのいいレストランもある。そして、屋上《おくじょう》では、地下《ちか》で買《か》ったお惣菜《そうざい》やお菓子《かし》を食《た》べられる。最先端《さいせんたん》ではないけれど、大島屋百貨店《おおしまやひゃっかてん》には、ワクワクがつまっているのだ。

こくるんは、その中《なか》で、服《ふく》を選《えら》んで着《き》ると、

「みてみて！」と、モデルみたいにポーズを決《き》めた。

三木《みき》は、そんな自分《じぶん》の姿《すがた》に目《め》をうばわれてしまう。

ギャザーのたくさん入《はい》ったボリュームのあるダウンコートを、こくるんは、まるでドレスのように着《き》こなしていてステキだ。

今《いま》までのどんな自分《じぶん》よりも、かがやいて見《み》える。けれど…。

「こくるんっ。それは、レディースだから、男《おとこ》の僕《ぼく》が着《き》たら、変《へん》だよ」

「レディース？　ってなに？」

「女《おんな》の人《ひと》の服《ふく》ってこと。この階《かい》は婦人服売《ふじんふくう》り場《ば》だから、全部《ぜんぶ》、女性用《じょせいよう》の服《ふく》なの。メンズの紳士服売《しんしふくう》り場《ば》は、この下《した》の2階《かい》だよ？」

「でも、ここの服《ふく》の方《ほう》が、ミキらしいもん」

「僕《ぼく》らしい？　うーん…でもなぁ」

こくるんは、煮《に》え切《き》らない三木《みき》に、イライラ。

「あたしは、これを着《き》たいって思《おも》ったの！　だから、ミキが思《おも》ったの！　着《き》たいって思《おも》ったの！　着《き》たい服《ふく》を着《き》るのが、一番似合《いちばんにあ》うんだから！」

「でも…やっぱり、変《へん》じゃないかな…」

「もう！　ミキのわからずや！」

と、こくるんは、ついにステッキを取《と》り出《だ》すと、大声《おおごえ》でとなえた。

「従順《じゅうじゅん》なるステッキよ、夜《よる》に色《いろ》をつけたまえ！」

すると、どこからか大《おお》きなミラーボールがやってきて、暗《くら》い店内《てんない》をキラキラと照《て》らし出《だ》し、楽《たの》しげな音楽《おんがく》がなりひびいた。

これは、こくるん唯一《ゆいいつ》の十八番《おはこ》魔法《まほう》、ファッションショーの魔法《まほう》だ。

このさわぎに、モニター室《しつ》で、うたた寝《ね》をしていた警備員《けいびいん》さんも飛《と》び起《お》きた。

「な、なにごとだ⁉」

モニターを見《み》ると、廊下《ろうか》をランウェイにして、服《ふく》たちがゾロゾロと歩《ある》き、室内遊園地《しつないゆうえんち》ではマネキンたちが遊《あそ》んでいる。

「なんじゃこりゃ！」

警備員《けいびいん》さんは、あわてて、交代《こうたい》で寝《ね》ている同僚《どうりょう》を呼《よ》ぼうとして、止《と》まった。

モニターに目《め》をこらすと、婦人服売《ふじんふくう》り場《ば》に、三木《みき》がふたりいるのだ。

「三木《みき》くん…？　が、ふたり？」

ひとりは、楽《たの》しそうに廊下《ろうか》のランウェイを歩《ある》き、もうひとりはぼう然《ぜん》としている。

その姿《すがた》に、警備員《けいびいん》さんは笑《わら》ってしまった。

さっきは、しぶっていたくせに、三木《みき》はやっぱり魔女《まじょ》を呼《よ》んだのだ。そうじゃなきゃ、三木《みき》がふたりになるわけない。こんな、ヘンテコな事《こと》になるわけないのだ。

しかし、これがみんなにバレてしまったら、大問題《だいもんだい》である。

そこで警備員《けいびいん》さんは、モニターの映像《えいぞう》を昨日《きのう》のものと、さしかえた。

「へへっ、これでよしっと」

これなら、だれがどう見《み》ても、いつもの真《ま》っ暗《くら》で静《しず》かな閉店後《へいてんご》のデパートだ。まさか、魔女《まじょ》が来《き》て、魔法《まほう》をかけたなんてだれも気《き》づかないだろう。

「がんばれよ、三木《みき》くん！」

けれど三木《みき》は、目《め》の前《まえ》を歩《ある》いていく服《ふく》に、おどろいてしまって、声《こえ》さえ出《で》ない。

シャツはパンツを連《つ》れて、靴《くつ》はドレスを連《つ》れて、服《ふく》たちが自分《じぶん》でコーディネートをしながらランウェイを、さっそうと歩《ある》く。

こくるんは、大《おお》はしゃぎだ。服《ふく》たちといっしょになって、歩《ある》いたり走《はし》ったり踊《おど》ったり、やりたい放題《ほうだい》である。

と、そこへ――。

オモチャの宝石《ほうせき》リングたちが、ランウェイを踊《おど》りながらやって来《き》た。どうやら、6階《かい》のオモチャ売《う》り場《ば》でも、大《おお》もりあがりらしい。

そして、宝石《ほうせき》リングたちの中《なか》のひとつ、真《ま》っ赤《か》なルビーが、三木《みき》の目《め》の前《まえ》で止《と》まった。

「え?」ルビーは、三木《みき》を見上《みあ》げると、笑《わら》う。

「あ…!」

三木《みき》はやっと、思《おも》い出《だ》す。

このリングは、子《こ》どもの頃《ころ》、ほしくてほしくてたまらなかったリングだ。中《なか》でも、この真《ま》っ赤《か》なルビーがほしかったけれど、「女《おんな》の子《こ》のものだから」と、買《か》ってほしいとは言《い》えずに、手《て》に入《はい》らなかったのである。三木《みき》は、ランドセルだって本当《ほんとう》はピンクにしたかったけど、黒《くろ》を選《えら》んだし、女《おんな》の子《こ》たちが話《はな》していた、かわいい雑貨屋《ざっかや》さんにも入《はい》りたかったけど、結局《けっきょく》入《はい》れないまま大人《おとな》になってしまった。

そうやって、三木《みき》は、いつも自分《じぶん》で線《せん》をひいてきたのだ。

それでもルビーは、言《い》う。

「ワタシは、あなたが大好《だいす》き」

三木《みき》は、その言葉《ことば》にやっとの思《おも》いで、

うなずくと、「僕《ぼく》も」と、ルビーに手《て》をのばして、おそるおそる、リングを中指《なかゆび》にはめてみた。

「ふふっ」ルビーは笑《わら》う。ルビーのリングは、三木《みき》の指《ゆび》では途中《とちゅう》までしか入《はい》らないけど、とってもステキだ。

すると、こくるんの選《えら》んだダウンコートも飛《と》んで来《き》て、三木《みき》を着《き》かざり、足元《あしもと》には、長靴《ながぐつ》がやって来《き》て、スポッと三木《みき》をはいた。

「わ、な、なにこれ！」

そんなヘンテコな見《み》た目《め》に三木《みき》は、思《おも》わず笑《わら》ってしまう。

魂《たましい》のやどった服《ふく》は、勝手《かって》に着《き》る人《ひと》を、えらぶのだ。だから服《ふく》が人《ひと》を着《き》る。

見《み》ると、こくるんもパジャマにハイヒール、それに登山《とざん》リュックを、せおっている。

お互《たが》いに笑《わら》ってしまった三木《みき》とこくるんは、おもしろくなってランウェイを歩《ある》きだすと、レディース服《ふく》も、メンズ服《ふく》も、子《こ》ども服《ふく》も、服《ふく》たちみんなが、ふたりのうしろに続《つづ》いて歩《ある》く。

「ほら！　あたしの言《い》ったとおりじゃない！　ミキはそれが一番《いちばん》、似合《にあ》ってる」

そして三木《みき》は、ショーウインドウにうつった自分《じぶん》を見《み》た。そこには、レディースのダウンコートを、まるでドレスのように着《き》こなした自分《じぶん》が、いる。

指《ゆび》には真《ま》っ赤《か》なルビーが笑《わら》う。

「まあ…」と、三木《みき》は、少《すこ》しだけポーズを決《き》めてみた。

思《おも》ったよりもはずかしくない。

それどころか、すごく楽《たの》しい。

それどころか、すごくステキだ。

「そうかもね」

服《ふく》たちからは、大歓声《だいかんせい》。音楽《おんがく》はさらに大音量《だいおんりょう》。みんな、大《おお》もりあがりである。

そして、三木《みき》とこくるんの、ファッションショーは、朝《あさ》まで続《つづ》いたのだった――。


「な…なにこれ⁉　どうなってるの！」

次《つぎ》の日《ひ》、社長《しゃちょう》の七海《ななみ》は、店内《てんない》を走《はし》りまわる。

室内遊園地《しつないゆうえんち》では、トイカーに乗《の》ったヘンテコな服《ふく》のマネキンたちがくるくるまわり、紳士服売《しんしふくう》り場《ば》では、ネクタイのたなに赤《あか》ちゃんのよだれかけが並《なら》び、

婦人服売《ふじんふくう》り場《ば》では、パジャマたちが寝具売《しんぐう》り場《ば》のベッドで寝《ね》ている…。

ひと晩《ばん》で変《か》わってしまった売《う》り場《ば》で、お客《きゃく》さんも、店員《てんいん》さんも、みんな大混乱《だいこんらん》だ。

お客《きゃく》さんたちは商品《しょうひん》を手《て》に、七海《ななみ》に聞《き》く。

「これ、もっと小《ちい》さいサイズありませんか？」「あとワンサイズ、大《おお》きければいいんだけど」

「どうして、レディースのところにメンズがあるの!?」

「オモチャ売り場《ば》に、ダイヤのネックレスがあったんですけど！」

七海《ななみ》は大《おお》いそがしだ。

「ご、ごめんなさい！　今売《いまう》り場《ば》を直《なお》しておりますので！」


一方《いっぽう》、ダウンコートを着《き》た三木《みき》に変身《へんしん》している、こくるんは、七海《ななみ》を探《さが》してまわって3階《かい》の婦人服売《ふじんふくう》り場《ば》まで来《き》たけど、なかなか見《み》つからない。

三木《みき》は、お直《なお》しカウンターで、コンパクトをのぞきこみながら不安《ふあん》そうだ。

鏡《かがみ》の中《なか》から見《み》る店内《てんない》は、メチャクチャで、告白《こくはく》どころではなさそうである。

「こくるんっ。や、やっぱり、今日《きょう》はやめない？　社長《しゃちょう》、いそがしいだろうし」

「なによ！　いまさら！　このコートが、また嫌《いや》になったの！」

「そうじゃなくてっ。そうじゃ、ないんだけど…」

三木《みき》は、昨日《きのう》のファッションショーで、はじめて、本当《ほんとう》にほしいものがな

にか、思《おも》い出《だ》せた。本当《ほんとう》に好《す》きな自分《じぶん》になれた。でも、

「僕《ぼく》、本当《ほんとう》に社長《しゃちょう》が好《す》きなのかな…？」

「はあ⁉」

「ムム⁉」

これには、さすがの、こくるんとあむあむも、あきれ顔《がお》だ。

「じゃあ！　ミキはシャチョーが嫌《きら》いなの？」

「そうじゃないけど、好《す》きなんだけど。大好《だいす》きなんだけど、そうじゃ、ないような…」

七海《ななみ》に声《こえ》をかけて、それで、うまくいったとして、付《つ》き合《あ》うってことが、三木《みき》にはしっくりこない。警備員《けいびいん》さんの言《い》うような『恋《こい》』とは、ちがう気《き》がするのだ。

「こくるん、好《す》きってなんなのかな…？」

「もう！　知《し》らないわよ！」

と、こくるんは、「社長《しゃちょう》！」と呼《よ》ばれている女《おんな》の人《ひと》が、エスカレーターをはさんだ向《む》こう側《がわ》のショップにいるのを見《み》た。

「あっ」

「ムっ」

「社長《しゃちょう》…だ」

そして、こくるんは、走《はし》り出《だ》す。

「ちょ、ちょっと、こくるん！　待《ま》って！」

こくるんは、それを聞《き》かないで行《い》こうとするが…。

コートのすそが、つま先《さき》にひっかかった。

「おっとっと、っと？」

「ムム？」

すると、こくるんの体《からだ》が、みるみるうちに小《ちい》さくなり――。

「え？　こくるん⁉」

「ムー！　変身《へんしん》が解《と》けてる！」

「きゃあ！」

夜通《よどお》しのファッションショーで変身《へんしん》を続《つづ》けていた、こくるんはついに、魔《ま》法《ほう》がとけて、元《もと》の姿《すがた》にもどってしまったのだ。

「ム…でも、だれにも見《み》られてないみたい」

ちょうど、こくるんの姿《すがた》は、エレベーターのかげにかくれていたようだ。

「よかったぁ。こくるん、早《はや》くもどってきて」と、あむあむが、安心《あんしん》したのも、つかの間《ま》。

「うわぁあーーん！」

大《おお》きな泣《な》き声《ごえ》が、婦人服売《ふじんふくう》り場《ば》にひびきわたった。

こくるんも三木《みき》も、あむあむも、おどろいて泣《な》き声《ごえ》の方《ほう》を見《み》ると、七海《ななみ》が困《こま》ったように、小《ちい》さなドレスを手《て》にした女《おんな》の子《こ》に、他《ほか》のドレスを見《み》せている。

「ごめんね、それは小《ちい》さい子用《こよう》のドレスなんだ。小学生用《しょうがくせいよう》はこっちなの。これ、どうかな？　同《おな》じ色《いろ》だよ？」と、言《い》うけれど。

「あたし！　小学生《しょうがくせい》じゃない！　まだ年長《ねんちょう》さんだもん！」

女《おんな》の子《こ》のお母《かあ》さんは苦笑《にがわら》いだ。

「すみません、この子《こ》、他《ほか》の子《こ》よりも大《おお》きくって、いつもは大人用《おとなよう》から小《ちい》さめの服《ふく》を選《えら》ぶんだけど、今日《きょう》はこのドレスがここにあったもんだから…」

「みんな、これきてるもん！　あたしもきたい！」

女《おんな》の子《こ》は、ドレスをにぎったまま、泣《な》くばっかり。

婦人服売《ふじんふくう》り場《ば》にまぎれこんだ幼児用《ようじよう》のドレスを見《み》つけてしまった女《おんな》の子《こ》

は、このドレスがどうしても着《き》たいのだ。けれど、サイズが合《あ》わなくて泣《な》いているらしい。

お母《かあ》さんは、七海《ななみ》の持《も》ってきた他《ほか》のドレスをすすめるけど、女《おんな》の子《こ》はゆずらない。

「ぜっったい、やだ！」

それを見《み》ていたこくるんは、歩《ある》いて行《い》く。

「ム？」

「こくるん？　その姿《すがた》じゃ、もう、」

それでも歩《ある》いて行《い》ったこくるんは、女《おんな》の子《こ》の手《て》からドレスをとると、見《み》つめた。

「ム！　こくるん！」

「こくるん、なにしてるのっ」

女《おんな》の子《こ》はおどろいて、泣《な》き止《や》むと、こくるんを見《み》た。

「キミは、このドレスだから、着《き》てみたいんでしょう？」

「…うん！」

「おっけー！　それならクローゼットの魔女《まじょ》！　こくるんにおまかせあれ！」

七海《ななみ》とお母《かあ》さんは顔《かお》を見合《みあ》わせて、首《くび》をかしげた。

「クローゼットの魔女《まじょ》？　こくるん…？」

どうやらこくるんの、クローゼットの魔女《まじょ》としてのプロ意識《いしき》に火《ひ》がついたらしい…。

そうして、こくるんは小《ちい》さな風船《ふうせん》を取《と》り出《だ》すと、ドレスの中《なか》にそれを入《い》れて、息《いき》をふきこみ、服《ふく》をふくらませていく。

これは、『ひみつバルーン』と言《い》って、食《た》べすぎや太《ふと》った時《とき》に、魔女服《まじょふく》のサイズを内緒《ないしょ》で大《おお》きくするための道具《どうぐ》で、リリアンがかくし持《も》っていたのを、こくるんが持《も》ってきたのだ。

そして、ドレスはどんどん、どんどん、ふくらんでいく。

「ム、こくるんっ、やりすぎだよ！」

けど、もうおそい。限界《げんかい》までふくらんだバルーンはプシュー！　と音《おと》をたてて服《ふく》からぬけて飛《と》んでいくと、巨大《きょだい》になってしまったドレスだけがヒラヒラ落《お》ちてきた。

「あれれ…？」

こくるんは、それを女《おんな》の子《こ》に合《あ》わせてみるけど、どう見《み》たって、大《おお》きすぎる…。

女《おんな》の子《こ》は、目《め》の前《まえ》の大《おお》きなドレスにまた泣《な》き出《だ》してしまった。

「ムゥ！　こくるん！　どーすんのさ！」

「あ、アハハ…どーしよ」

こくるんは、今度《こんど》は大《おお》きすぎるドレスを、女《おんな》の子《こ》に着《き》せてリボンでグルグル巻《ま》きにしたり、つるしたりする…けど、うまくいかない。むしろ悪化《あっか》していく。

その様子《ようす》をコンパクトから見《み》ている三木《みき》は、もどかしい。
そして女《おんな》の子《こ》は、ついにドレスを放《ほう》って、背《せ》を向《む》けて歩《ある》きだした。
「…やっぱ、いらない。わたしには、なんにも、にあわないから」
それを聞《き》いた三木《みき》は、ついに、
「そんなことない！」と、大声《おおごえ》を出《だ》して、立《た》ち上《あ》がった。
針《はり》と糸《いと》、それに、ハサミやメジャーの入《はい》った道具箱《どうぐばこ》を持《も》つと、三木《みき》は走《はし》る。
女《おんな》の子《こ》が帰《かえ》ってしまう前《まえ》に、三木《みき》は、なんとしても行《い》かないといけない。
あきらめてしまう前《まえ》に、間《ま》に合《あ》わせないといけないのだ。
だって、似合《にあ》わない服《ふく》なんて、ない。

どんな服《ふく》も、だれかを待《ま》っているし、どんな服《ふく》だって着《き》ることができる。三木《みき》は昨日《きのう》、やっと気《き》づいたのだ。

もし大《おお》きければ、小《ちい》さく。小《ちい》さければ、大《おお》きくすればいい。たったそれだけだ。

そのために、お直《なお》し屋《や》はあるのだから――。

そして三木《みき》は、ドレスにハサミをいれた。

その手元《てもと》を、こくるんも、あむあむも、女《おんな》の子《こ》も、そのお母《かあ》さんも、他《ほか》のお客《きゃく》さんや、店員《てんいん》さん、そして、七海《ななみ》も、息《いき》をのんで見守《みまも》る。

ハサミは、正確《せいかく》にまっすぐに、ていねいに、ドレスの余分《よぶん》な布《ぬの》を切《き》り落《お》とし、リッパーはパーツをわけ、針《はり》がそれをぬい合《あ》わせて、たちまちにドレスは、女《おんな》の子《こ》のサイズぴったりに仕立《した》てあげられた。

作業《さぎょう》を終《お》えた三木《みき》は、額《ひたい》の汗《あせ》をぬぐうと、ドレスについた糸《いと》クズをはらう。

「仮《かり》ぬいなので、またお時間《じかん》ができましたら、3階奥《かいおく》のお直《なお》しカウンターに」

と、三木《みき》が言《い》い終《お》わる前《まえ》に、みんなから、われんばかりの拍手《はくしゅ》と歓声《かんせい》がひびいた。

「ミキって、やっぱり魔女《まじょ》だ！」

「ムー！」

「ほんとに、すごいよ！　三木《みき》くん！」

七海《ななみ》にまでほめられて、三木《みき》の顔《かお》は真《ま》っ赤《か》だ。

そして、ドレスをひらめかせて、女《おんな》の子《こ》は、笑《わら》った。

「ありがと！　おなおしやさん！」

そして、ドレス姿《すがた》の女《おんな》の子《こ》とお母《かあ》さんが手《て》をつないで帰《かえ》っていくのを見《み》送《おく》った、こくるん、あむあむ、三木《みき》、七海《ななみ》は、やっとひと息《いき》。

けれど、三木《みき》の元《もと》に、お客《きゃく》さんがおしよせてきた…。

「こっちのシャツも、直《なお》してくれないかな！」

「メンズスーツって、私《わたし》にも着《き》れるかな？」

「このドレスも、あんな風《ふう》にピッタリにできる？」

「この靴下《くつした》、うちのワンちゃんにもはかせたいんだけど！」

「このネクタイ、よだれかけにできないかな」

と、大行列《だいぎょうれつ》だ。

お直《なお》しカウンター、始《はじ》まって以来《いらい》の大《だい》せいきょう、である。

仕事帰《しごとがえ》りにこの大行列《だいぎょうれつ》を見《み》た警備員《けいびいん》さんは、あわてて三木《みき》の元《もと》へやって来《き》た。

「何事《なにごと》だ！　こりゃ」

「なんか、いろいろあって…」

と、三木《みき》はうれしそうに困《こま》っている。

その顔《かお》を見《み》た警備員《けいびいん》さんは、三木《みき》の背中《せなか》をたたいた。

「コーヒーおごりな！」

そして警備員《けいびいん》さんは、すばやく、お客《きゃく》さんたちを、3階《かい》のお直《なお》しカウンターへ案内《あんない》し、行列《ぎょうれつ》を美《うつく》しく整理《せいり》してしまった。その手《て》ぎわは、もうまるで踊《おど》っているかのようだ。これには、こくるんとあむあむ、七海《ななみ》も、感心《かんしん》しっぱなし。

「ニンゲンって、すごいのね…」

「ムゥ」

「本当《ほんとう》に…」


そして三木《みき》は、七海《ななみ》や、こくるん、警備員《けいびいん》さんの手《て》も借《か》りながら、お直《なお》しの注文《ちゅうもん》を受《う》けていく。大《おお》いそがしだ。

それに、いつのまにか七海《ななみ》は、こくるんを「こくるん!」と呼《よ》んでいるし、こくるんは七海《ななみ》を「ナナミ!」と呼《よ》んでいて、ふたりは、息《いき》ピッタリだ。お直《なお》しの終《お》わった商品《しょうひん》をわたしながら、こくるんと七海《ななみ》は、お客《きゃく》さんにコーディネートのアドバイスまでしている。

「このスカートなら、この、でっかいパーカーが合《あ》うわね!」とこくるんが言《い》うと、

「それね！　そしたら、この靴《くつ》はどう？」と、七海《ななみ》が合《あ》わせて、もうコーディネートはバッチリである。お客《きゃく》さんも楽《たの》しそうだ。

「さいこー！」

「完璧《かんぺき》！」

こくるんと七海《ななみ》は、意外《いがい》と似《に》ているのかもしれない。と、三木《みき》は思《おも》う。自《じ》分《ぶん》もこんな風《ふう》に七海《ななみ》と笑《わら》えたらどんなに楽《たの》しいだろう。

こんなに近《ちか》くにいるのに、いまだに三木《みき》は七海《ななみ》と話《はな》せない。

そうして、やっと閉店時間《へいてんじかん》。

もうみんな、ヘトヘト…。

七海《ななみ》はみんなに頭《あたま》を下《さ》げた。

「ありがとう！　三木《みき》くん！　こくるん！　警備員《けいびいん》さんも！　みんな、おつかれ様《さま》です!」

「ムム…こくるんのせいで、こーなったんだけどね…」あむあむは、苦笑《にがわら》いだけど。

「つかれたぁ。ビール飲《の》みたい」と、笑《わら》う七海《ななみ》を、こくるんは、見《み》つめた。

「あたし、ナナミの笑《わら》った顔《かお》、好《す》き」

七海《ななみ》は、さらによく笑《わら》った。

「私《わたし》も。こくるんが、好《す》きだよ」

「…そっか」と、三木《みき》は、そんなふたりを見《み》て、気《き》づく。

「しゃ、社長《しゃちょう》!」

「ん?」

「僕《ぼく》も」

「え」

「僕《ぼく》も、社長《しゃちょう》のこと、大好《だいす》きです」

その突然《とつぜん》の告白《こくはく》に、七海《ななみ》も、こくるんも、あむあむも、みんな、ぼう然《ぜん》。

それを見《み》ていた警備員《けいびいん》さんも、あいた口《くち》がふさがらない。

「三木《みき》くん…って、大胆《だいたん》…」

三木《みき》も自分《じぶん》でびっくりだ。

けど、もう、好《す》きをあきらめないと決《き》めたのだ。線《せん》をひかないと、決《き》めたのだ。

「あの、社長《しゃちょう》、化粧水《けしょうすい》ってなに使《つか》ってますか？　駅前《えきまえ》にできたカフェって行《い》きました？　好《す》きなブランドってなんですか？　最近《さいきん》、どんな映画《えいが》を見《み》ましたか？　朝《あさ》ごはんは何《なに》を食《た》べましたか？　好《す》きな色《いろ》は？　好《す》きな動物《どうぶつ》は？」

「ど、どうしたの…？　三木《みき》くん」

七海《ななみ》は、困《こま》り顔《がお》だ。

「だから、えっと、もしよかったら…ぼ、僕《ぼく》と！　と、と、友達《ともだち》になってくれませんか！」

「…友達《ともだち》？」

「あの、社長《しゃちょう》と、服《ふく》のこととか、コスメのこととか、話《はな》したくて。カフェとか買《か》い物《もの》とか行《い》ってみたくて。ずっと。友達《ともだち》がほしくて、だから…」

思《おも》いもよらない告白《こくはく》に、七海《ななみ》は、笑《わら》ってしまった。

「付《つ》き合《あ》いたい？　じゃ、なくて？」

「はい…」

「なんだ、せっかく、今《いま》の告白《こくはく》、キュンとしたのに」

「…でも僕《ぼく》、本気《ほんき》で、社長《しゃちょう》と友達《ともだち》になりたいんだって、やっと、」

「じゃあ、社長《しゃちょう》じゃなくて、七海《ななみ》ね」

「え？」

「友達《ともだち》を、社長《しゃちょう》って呼《よ》ばないでしょ？」

と、七海《ななみ》は三木《みき》の手《て》をにぎった。

「こちらこそ、友達《ともだち》になってくれますか？　三木《みき》くん」

「……」

三木《みき》は、言葉《ことば》が出《で》ずに七海《ななみ》の手《て》をにぎりかえした。とっても、あたたかい手《て》だ。

なんだか、人《ひと》の手《て》をにぎったのなんて、すごく久《ひさ》しぶりな気《き》がする。

「よろしくお願《ねが》いします。七海《ななみ》さん」

七海《ななみ》は、そんな三木《みき》の中指《なかゆび》に光《ひか》るルビーのリングを見《み》つめた。そのリングは中指《なかゆび》の途中《とちゅう》までしか入《はい》っていないけど、それがなんだかとってもかわいい。

「ふふ、このリング、三木《みき》くんにピッタリ」

そうしてまた笑《わら》っている七海《ななみ》に、思《おも》わず三木《みき》も笑顔《えがお》になってしまう。

やっぱり、七海《ななみ》の笑《わら》う顔《かお》は世界一《せかいいち》だ。

第6着
大島屋百貨店へようこそ

告白《こくはく》は大成功《だいせいこう》。今回《こんかい》の告白《こくはく》は、友達《ともだち》になるための告白《こくはく》となった。

『好《す》き』に、いろいろな形《かたち》があるように、告白《こくはく》にだって色々《いろいろ》な形《かたち》が、ある。

でも、警備員《けいびいん》さんは、やっぱり、あいた口《くち》がふさがらない。

「友達《ともだち》…？　で、いいの？」


そうして、こくるんは、ドレスみたいなダウンコートと、最高《さいこう》の友達《ともだち》も手《て》に入《い》れて、クローゼット屋敷《やしき》にもどるとすぐに、ダウンコートを寝袋《ねぶくろ》みたいにして寝《ね》てしまった。

そういえば、徹夜《てつや》だなんて、こくるんは初《はじ》めてなのだった。

「ムー！　おきてよー！　こくるんー！」

結局《けっきょく》、こくるんは、その日《ひ》から3日間《かかん》も寝続《ねつづ》けたらしい…。

「ふふっ」

今日《きょう》も七海《ななみ》は、店内《てんない》を歩《ある》き回《まわ》って、服《ふく》や雑貨《ざっか》をコーディネートしていく。

ワンピースには、紳士《しんし》スーツのジャケットを着《き》せて、紳士《しんし》シャツにはロングスカートを合《あ》わせ、婦人《ふじん》シャツの袖《そで》に開《あ》けたボタンホールにはカフスボタンをとめて、おそろい柄《がら》のよだれかけとネクタイを並《なら》べる――。

こくるんが来《き》たあの日《ひ》から、大島屋百貨店《おおしまやひゃっかてん》は変《か》わったのだ。

今日《きょう》は、新装開店《しんそうかいてん》の初日《しょにち》である。

今《いま》では、色々《いろいろ》なジャンルの服《ふく》がひとつの売《う》り場《ば》に並《なら》んで、その真ん中《なか》には大《おお》きなお直《なお》しカウンターと、広《ひろ》い試着室《しちゃくしつ》が作《つく》られた。

ここはまるで、だれかの大《おお》きなクローゼットだ。三木《みき》は仕事《しごと》が増《ふ》えて大《おお》いそがしだけど、七海《ななみ》は、こくるんから内緒《ないしょ》でもらった『ひみつバルーン』で三木《みき》を手助《てだす》けしている。

少《すこ》しだけ服《ふく》のサイズを大《おお》きくすることは、七海《ななみ》にだって、お手《て》のモノである。たまに失敗《しっぱい》はするけれど…三木《みき》がいるから大丈夫《だいじょうぶ》。

「おはよう！　三木《みき》くん」

「おはよ。七海《ななみ》さん。あ、そのバッグってメルべのヤツ？」

三木《みき》は、七海《ななみ》のピンク色《いろ》の、きれいなバッグを見《み》た。

「そう！　今度《こんど》、貸《か》そうか？　三木《みき》くんなら似合《にあ》うよ！」

「借《か》りてみよっかな」

そうして今日《きょう》も、三木《みき》の中指《なかゆび》にはルビーのリングが光《ひか》る。

奥《おく》まで入《はい》らないこのリングは、針仕事《はりしごと》で使《つか》う指《ゆび》ぬきとしてもピッタリなのだ。

三木《みき》の針《はり》を持《も》つ手《て》が、いっそうワクワクと動《うご》き出《だ》した。

原作・監督

久野遥子

くの・ようこ

2013年多摩美術大学卒業後、アニメーション、イラストレーション、漫画など多方面で活動。CuusheのMV『Airy Me』で第17回文化庁メディア芸術祭アニメーション部門新人賞を受賞、また『甘木唯子のツノと愛』にて同賞漫画部門新人賞を受賞。代表作としてNHKEテレの人気人形劇『ガラピコぷ～』OPアニメーションや東京書籍発行令和6年度『道徳』教科書の表紙・中面のイラストレーションを担当。また『クレヨンしんちゃん』の映画シリーズにてキャラクターデザインや絵コンテに参加。アニメーション映画『化け猫あんずちゃん』を山下敦弘と共同で監督、2024年の公開を控えている。

文

竹浪春花

たけなみ・はるか

日本映画学校（現：日本映画大学）卒業。一児の母。映画学校在学中に執筆した映画『イチジクコバチ』（11／サトウトシキ監督）で脚本家デビュー。以降、『なんでも埋葬屋望月』(15／いまおかしんじ監督)『もっとも小さい光』(21／サトウトシキ監督)など、映画脚本を執筆する。

絵

あこそれ

多摩美術大学グラフィックデザイン学科卒業後、アニメーション制作を中心に活動中。『たまごっちuni』TVCMにて2Dキャラアニメーション/キービジュアルイラストを担当。また、ずっと真夜中でいいのに。『不法侵入』、Eve『冒険録』などアニメーションMVなどに原画・動画で参加。レトロポップな世界観を中心に制作を行なっている。

プロデューサー　近藤慶一（シンエイ動画）

協力　ふっかるプロダクション
野村辰寿

ドレスアップ！こくるん

2 勇気《ゆうき》が出《で》る魔法《まほう》をください

2024年　4月30日　第1刷発行

原作・監督　久野遥子

文　竹浪春花

絵　あこそれ

発行者　小松崎敬子

発行所　株式会社 岩崎書店
〒112-0005 東京都文京区水道1-9-2
TEL 03-3812-9131（営業） 03-3813-5526（編集）
振替 00170-5-96822

ブックデザイン　アルビレオ

印刷所・製本所　三美印刷株式会社

Published by IWASAKI Publishing Co., Ltd. Printed in Japan
NDC913　ISBN 978-4-265-81172-4　19×13 cm

岩崎書店ホームページ　https://www.iwasakishoten.co.jp
ご意見、ご感想をお寄せ下さい。E-mail:info@iwasakishoten.co.jp
落丁本、乱丁本は小社負担にておとりかえいたします。

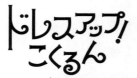